JACK Y LOS GENIOS

PERDIDOS EN LA SELVA

BILL NYE

& GREGORY MONE

ILUSTRACIONES DE

NICK ILUZADA

edebé

JACK Y LOS GENIOS

PERDIDOS EN LA SELVA

Nota del editor original: Este es un libro de ficción. Los nombres, personajes, lugares e incidentes son producto de la imaginación del autor o están usados de manera ficcional. Cualquier parecido con personas reales, vivas o muertas, empresas, sucesos o escenarios son pura coincidencia.

First pubblished in the English language in 2018
By Amulet Books, an imprint of Harry N. Abrams, Incorporated, New York / ORIGINAL ENGLISH TITLE: JACK AND THE GENIUSES: LOST IN THE JUNGLE

Paseo de San Juan Bosco, 62
08017 Barcelona
www.edebe.com

Atención al cliente: 902 44 44 41
contacta@edebe.net

1.ª edición, marzo 2019

ISBN: 978-84-683-4095-1
Depósito legal: B. 824-2019
Impreso en España
Printed in Spain
EGS - Rosario, 2 - Barcelona

A TODAS LAS FAMILIAS DE ACOGIDA
DE LA VIDA REAL, QUE HABRÍAN
HECHO UNA LABOR MARAVILLOSA
CON AVA, JACK Y MATT.

ÍNDICE

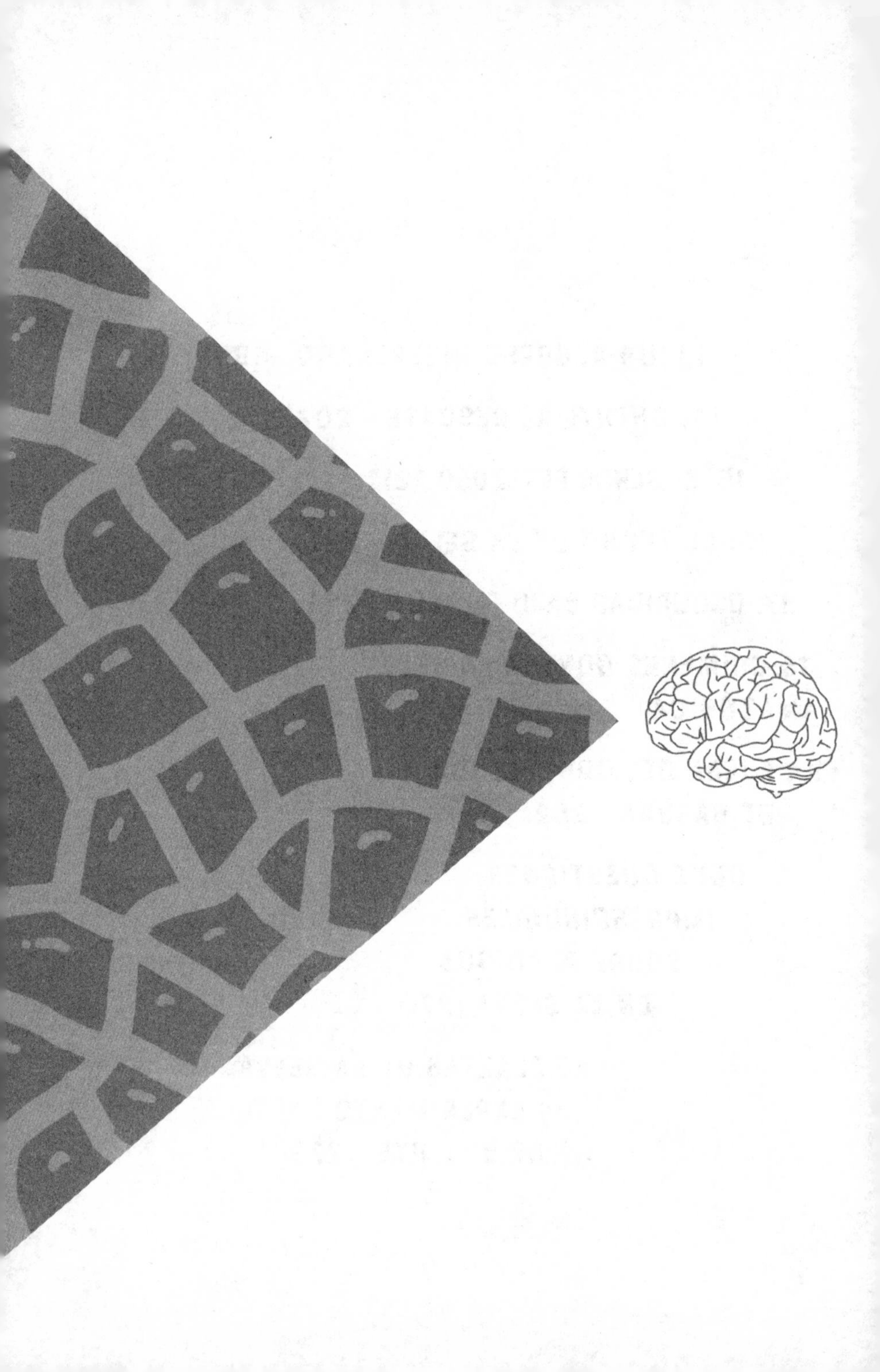

1
EL HOMBRE DEL PASAMONTAÑAS MORADO

AL ENTRAR, LOS TRES NOS DISPERSAMOS por el laboratorio destrozado. Cuando nos fuimos la noche anterior, lo habíamos dejado todo en perfectas condiciones, incluso habíamos barrido el suelo. Pero, a la mañana siguiente, todo estaba hecho un desastre. Los pájaros mecánicos estaban rotos en el suelo. También estaba arrancado todo el interior de un coche autónomo y los cables extraídos caían desde el capó como si fueran espaguetis electrónicos. Incluso nuestro cocinero de *pizza* robótico, *Harry,* estaba destartalado. Le caían cables hasta las ruedas. El agua, proveniente de un contenedor de sesenta y cinco metros de profundidad, se extendía por todo el suelo.

Al otro lado de la sala, Matt se había agachado sobre un teclado y miraba la pantalla de un ordenador.

—¿Quién ha podido hacer una cosa así? —preguntó.

Ava estaba sentada en el suelo y colocaba un dron sobre su regazo como si fuera un pájaro con un ala rota.

—Y ¿por qué?

Antes de que pudiera ofrecer una suposición, una ventana estalló muy por encima de nosotros. Cayeron cristales sobre el coche autónomo y un objeto en forma de cubo negro aterrizó sobre su capó, rebotando hasta caer rodando por el suelo. Por un instante creí que se trataba de una granada. Ya me imaginaba corriendo para coger el explosivo mientras lo lanzaba por el aire para que nadie resultara herido. Pero, cuando paró de rodar, vi que solo era una cámara.

Matt vino corriendo hacia mí y señaló hacia arriba. El laboratorio tenía una altura de diez pisos, y aunque era un edificio completamente diáfano, una serie de salas salían de las paredes sobre unas plataformas que se unían desde el suelo hasta el techo por una especie de escalera de caracol. De una de las salas salían bocanadas de vapor a través de un agujero en el cristal. Una cuerda negra colgaba desde su plataforma hasta el suelo.

—¿Es esa la biosfera? —pregunté.

—Sí. Y alguien está dentro —susurró Matt.

—Obvio —contestó Ava.

—A lo mejor es Hank…

Se vio una luz dentro de la pequeña habitación. Un hombre soltó una palabrota y gritó.

—Ese no es Hank —concluyó Ava.

Nuestro amigo Hank, también conocido como el doctor Henry Witherspoon, posee un laboratorio. Nos deja trabajar en él mientras cuida de nosotros. Bueno, más o menos. No le habíamos visto ni habíamos sabido nada de él en las últimas tres semanas. Realmente era demasiado tiempo, porque además no nos había enviado ni un *email* ni un mensaje. De verdad que con un *emoji* hubiera bastado. Pero Hank no es un tipo normal, y probablemente nos daría una explicación convincente.

Ah, y de ninguna forma él podía ser el responsable de los destrozos de su laboratorio, sobre todo de la habitación hacia donde dirigíamos la mirada. La biosfera acristalada era uno de sus sitios favoritos. Medía la mitad que nuestro apartamento y era un ecosistema en miniatura, totalmente aislado del resto del laboratorio y del resto del mundo. Solo la luz entraba o salía de esa habitación. En esa atmósfera vivían veinte especies diferentes de plantas y pequeños árboles; y el agua se evaporaba, condensaba y después fluía por una pequeña corriente que daba vueltas en el interior. Un pequeño motor alimentado por energía solar hacía que el agua circulara por ella. Por supuesto que las señales de «Peligro» y «No entrar» nos tentaban mucho, pero ninguno de los tres había entrado jamás en esa habitación.

Ni siquiera yo. De verdad. Bueno, solo una vez, por eso sé lo que había en el interior.

Matt me agarró de la manga de la camisa.

—Salgamos de aquí —susurró—. Hank nos habría avisado si estuviera de regreso.

Eso no era del todo cierto. Hank normalmente aparecía y desaparecía sin previo aviso, pero no quise contradecir a mi hermano. Miré a Ava. Estaba inmóvil. Y Matt tampoco parecía muy dispuesto a salir. Aunque ninguno de los dos quiere ser el primero en hacer las cosas normalmente, así que siempre soy yo el que toma la iniciativa.

—Vale. Iré a echar un vistazo.

Matt agarró un martillo de una mesa de trabajo. Ava le atravesó con la mirada.

—¿Qué es lo que haces? —murmuró.

Mi hermano, que tenía los músculos de un atleta, pero las habilidades para luchar de un niño pequeño, de desinfló como un globo pinchado. Con martillo o sin él, no iba a luchar contra nadie. Ninguno de nosotros iba a hacerlo. Con cuidado dejó la herramienta en su sitio y los tres cruzamos el laboratorio, tan silenciosos como ninjas.

Este laboratorio es un poco raro. Más que un poco. En él hay una pileta de agua para comprobar pequeños submarinos, barcos robóticos y trajes de buceo para bucear sin cámaras de oxígeno. La habitación que recrea el planeta Marte es casi una copia perfecta del paisaje del planeta rojo. Desperdigados por toda la sala se encuentran multitud de vehículos, robots, y ordenadores que podrían satisfacer las necesidades de dos aulas llenas de niños. Y eso solo en la planta principal. Cada plataforma hasta llegar al techo tiene su propio laboratorio en miniatura. La biosfera estaba antes en la cuarta plataforma, pero Hank la rediseñó y la subió unos cuantos pisos.

La primera vez que Hank nos permitió entrar en el laboratorio, yo no sabía cómo se trasladaba de una plataforma a otra. La catapulta gigante capaz de lanzar maniquíes de grandes almacenes a una altura de quince metros me sugirió que podría tener unos planes emocionantes; pero en realidad había desarrollado una forma más sencilla de subir a las plataformas, y al ver la cuerda colgando desde la plataforma de la biosfera, supuse que el intruso no sabía cuál era esa forma.

Ava agarró la cuerda y dio un suave tirón.

—Por lo menos, no ha utilizado a *Betsy* —dijo.

Betsy no era ni una niña ni una mascota. A mi hermana le gustaba dar nombres a los inventos, y *Betsy* era una máquina del tamaño de una batidora que ayudaba a lanzar un largo cable hacia los tejados o balcones y después te podía ayudar a subir a ellos en plan Batman. No le digas que te lo he explicado así, porque odia a los superhéroes. Y en realidad *Betsy* era impresionante. Aunque me torcí el dedo intentando utilizarla la semana anterior, pero ese no era el momento de *Betsy*. Teníamos que estar muy callados… y a salvo.

—Casi mejor si voy de una manera normal —dije.

Ava presionó un interruptor alargado de plástico que estaba escondido detrás de la pintura de un faro. Dos docenas de escalones metálicos se despegaron de la pared con un rápido zumbido. No estaban conectadas entre sí, solo estaban unidas a la pared y no tenían barandilla. Hank las había cubierto con una fina capa de goma después de que Matt tropezara una docena de veces y se diera con el borde de los escalones en las rodillas, por esa razón llamaba a los peldaños «Matt». A Ava le gustaba la broma, a mi hermano, no tanto.

Nos dimos prisa subiendo la escalera y me paré en la primera plataforma para escuchar. Quienquiera que se encontrara en la biosfera no estaba haciendo grandes esfuerzos por ser discreto. Una o dos veces gritó algo parecido a un taco…, pero en realidad yo no lo entendí. Di al interruptor para desplegar la escalera que nos llevaría a la siguiente plataforma, así que nos seguimos moviendo con cuidado en el sentido de las agujas del reloj mientras ascendíamos. Cada plataforma tenía un objetivo: una de ellas era para el cultivo de células, otra era un taller de robótica. Después había una pequeña sala vacía que se utilizaba para experimentos que no se podían contaminar con bacterias o partículas que poblaban el mundo habitualmente; otra era un invernadero; otra, un taller con impresora 3D, y finalmente, la biosfera.

Nos quedamos quietos en la plataforma justo debajo, al lado del taller con la impresora 3D. En la pared a mi lado estaba el recuerdo de una de las bromas con más éxito de los genios. Había una percha y un gancho con un letrero donde ponía: «Capa de invisibilidad». Estoy demasiado avergonzado como para explicarlo, pero el caso es que la supuesta capa no existía realmente, solo era una bata de laboratorio. De todas formas, seguimos avanzando.

Algo se cayó en la sala que estaba sobre nosotros. Si mi hermano o mi hermana hubieran decidido en ese momento que esa estrategia había sido una mala idea, y que teníamos que dar media vuelta para pedir ayuda, yo no me habría opuesto. Pero nadie quiso salir corriendo, así que estiré el brazo y di al interruptor. Esperamos a que el siguiente tramo de escaleras se desplegara desde la pared y seguimos ascendiendo lentamente.

El intruso murmuró algo y comenzó a entonar una musiquilla. Era una canción pop. Me volví para mirar a mis hermanos y señalé uno de mis oídos esperando que ellos la reconocieran. Pero fue inútil. Ninguno de los dos escucha música de verdad. A Matt solo le gustan las sinfonías, y música que compusieron antiguos músicos ya muertos. Y una vez Ava me dijo que en su cabeza había ya demasiado ruido como para llenarlo con canciones.

—No importa —susurré.

En el cristal lleno de vaho ponía: «No entrar».

Empujé la puerta de vaivén y la mantuve abierta con el pie. Un hombre que llevaba una gorra y un pasamontañas morado, cubriéndole casi toda la cara desde más abajo de los ojos, se volvió para mirarme. Era de la altura de Hank y

llevaba pantalones cortos, una camiseta y una bata de laboratorio azul oscura. Sus ojos eran grises, y levantó sus finas cejas sorprendido. Sus brazos y piernas estaban muy musculados y calzaba unas zapatillas negras de baloncesto muy chulas. Si no hubiera asaltado el laboratorio, le habría felicitado por ello.

Se quedó paralizado. Y nosotros también.

Entonces se puso de cuclillas con la bata de laboratorio por encima de la cabeza, y se cubrió las piernas con ella. Detrás de mí Ava soltó una especie de risita. ¿Por qué? Pues porque el intruso había caído en la misma broma que caí yo unas semanas atrás. Mis hermanos son increíblemente inteligentes. En realidad, unos genios. Ava puede construir cualquier cosa, y Matt sabe más de ciencia que la Wikipedia. Al pasar junto a una bata de laboratorio que no había visto antes y que estaba colgada de una percha con un cartel que ponía «Capa de invisibilidad», yo supuse que era otro de sus grandes descubrimientos. ¿Cómo iba a saber yo que se trataba de una broma y que simulaban no verme mientras daba vueltas por el laboratorio y cogía pequeñas cosas que en teoría no debería tomar prestadas? En realidad, se estaban riendo de mí, y no me dijeron que podían verme hasta que intenté quedarme unos caramelos del cajón de la mesa de trabajo de Ava.

Así que en ese momento fue mi turno:

—Te seguimos viendo. Es una bata normal.

El hombre sacó la cabeza despacio.

—¿No soy invisible?

—No, no lo eres —respondió Ava—. ¿Quién eres y qué haces aquí?

—¿Y por qué estás en nuestro laboratorio? —añadió Matt.

—¡Lo has destrozado todo! —exclamó Ava.

El hombre se puso de pie y se agarró el brazo derecho por debajo del hombro.

—¿Dónde está? —preguntó con la voz amortiguada por el pasamontañas.

—¿El qué?

—El USB.

—¿Qué USB? —preguntó Ava.

—¡Donde están guardados los trabajos más importantes de Hank!

¿De qué estaba hablando? ¿Y a qué USB se refería? El hombre avanzó un paso y nos miró de forma amenazadora.

—La policía está de camino —mentí—. Así que es mejor que te largues.

Una criatura chapoteó en el río artificial que estaba detrás de él. Y el hombre se volvió a agarrar el brazo. Entonces se precipitó hacia mí. Un día voy a ser cinturón negro de algún arte marcial. Quizá de *jiu-jitsu.* O de kung-fu. El que necesite menos entrenamiento. Hasta ese día siempre estaré en desventaja porque mi velocidad de reacción es igual que la de una babosa. Antes de darme cuenta de lo que estaba pasando, el hombre me hizo una llave y me agarró de la cabeza.

—¿Dónde está el USB? —preguntó de nuevo.

—¡No sabemos de qué estás hablando! —gritó Ava—. Por favor, suéltalo.

Mi hermano permanecía demasiado quieto y el hombre me agarró de la cabeza con más fuerza. Las orejas me dolían. Les gritó que bajaran las escaleras y me arrastró fuera de la sala.

—No podrás salir por la puerta —dijo Matt—. La policía llegará antes de que consigas salir a la calle.

Me dolía la cabeza, y el intruso no se había puesto desodorante bajo la axila. Olía a patatas.

—Déjame —murmuré—. Pero me retorció la cabeza de nuevo.

—El USB —repitió—. Dádmelo ya.

Mis hermanos no contestaron. El intruso me soltó la cabeza, me puso derecho y me agarró del cuello de la camisa con una mano y del cinturón con la otra. Entonces me inclinó hacia delante. El suelo estaba a doce metros de distancia. Los escalones sin barandilla me parecían ahora un fracaso de diseño. Un pequeño movimiento y comenzaría a volar hasta espachurrarme contra el suelo como un globo de agua.

—Decidme dónde está o voy a comprobar si puede volar.

Por fin Matt habló.

—Hank siempre lo lleva consigo.

—¡Matt! ¿Por qué se lo has dicho? —intervino Ava.

El hombre me soltó la camisa, pero yo todavía seguía a un paso del borde. Intentar zafarme era demasiado arriesgado.

—¿Lo lleva siempre con él? —preguntó el intruso—. ¿Cómo?

—Pues lo lleva encima.

—¿Y dónde está ahora?

—No lo sabemos —dije—. De verdad.

Oímos sirenas en la distancia.

—Pronto llegarán —mintió Matt.

El intruso me empujó contra la pared lejos del borde de la escalera. Se metió corriendo en la biosfera y cerró la puerta con un portazo. Dentro escuchamos cómo se rompían más cristales.

Ava tiró del picaporte.

—¡Está atascada!

Matt bajó un piso corriendo.

—¡No corras! —gritó Ava.

—No lo hago —respondió Matt.

Mi hermana volvió a tirar de la puerta.

—Oye, ¿ibas a dejar que me tirara por las escaleras?

Se encogió de hombros.

—No te habría pasado nada. Hank instaló unos cojines automáticos. Los sensores de movimiento habrían captado que estabas cayendo. Eso habría activado el inflado de los cojines y al caer habrías rebotado.

—¿Habría rebotado?

—Exacto.

Rebotar sobre un cojín tras caer desde doce metros no me parecía muy seguro, pero en ese momento estaba a salvo y Matt volvía a subir con una impresora 3D en el hombro. Crucé los dedos a mi espalda esperando que no tropezara. Sorprendentemente dirigió sus zapatillas del número cuarenta y siete escaleras arriba sin problema alguno. ¿Pero por qué llevaba la impresora 3D a cuestas?

Sujetaba la máquina justo bajo su hombro derecho como un lanzador de peso, y se giró un poco a la derecha dispuesto a lanzarla.

—Un momento, ¿cuál es esa? —preguntó Ava.

—La Yuko —contestó Matt.

—Ah, vale. Lánzala entonces. Esa nunca funciona.

Matt tiró la máquina en forma de cubo hacia la puerta haciendo un agujero en el cristal. Metió la mano para quitar una palanca que bloqueaba el picaporte.

Por dentro vimos que otro cristal estaba roto. Los tres nos asomamos por el agujero para ver lo que pasaba. El hombre corría por la azotea del edificio de al lado, hacia donde había saltado desde algo más de dos metros. Había un montón de cristales sobre la azotea de alquitrán de allí abajo. Debería haber pedido a Matt que me bajara despacio; sin embargo, puse un pie en el agujero y salté.

Mis talones cayeron sobre los cristales al aterrizar de cuclillas con una de mis manos más adelantada que el resto del cuerpo. Durante un segundo me sentí como Iron Man, pero sin los artilugios guais.

—¿Pero qué haces, Jack? —me preguntó Matt desde arriba.

¿Que qué hacía? El laboratorio era nuestra responsabilidad. Teníamos que cazar al intruso. Así que no lo pensé: salté y empecé a correr por la azotea del edificio de al lado, salté por encima de un pequeño muro y pasé a la siguiente azotea que estaba medio metro más abajo. Por delante de mí, el intruso había chocado contra una vieja antena y la había derribado y había saltado una chimenea como si fuera un corredor de saltos de obstáculo. Entonces abrió una trampilla de metal de la azotea y sin mirar atrás se introdujo por ella. De nuevo le oí soltar una palabrota, o eso creía por la forma de gritar, pero en realidad la palabra me parecía de otro idioma.

Me incliné sobre la trampilla y eché un vistazo. El intruso había saltado a un armario lleno de abrigos y cajas, pero allí también había una escalera. Podía oír sus pasos bajando corriendo. Se oyó el grito de una anciana.

Bajé por la escalera. Mi pie se enredó en un abrigo de piel y caí sobre una alfombra al final de dos tramos de escalera.

Al caer, de la alfombra salió una nube de polvo y estornudé poniéndome de pie inmediatamente. Al inclinarme sobre la barandilla de la escalera, pude ver la mano del intruso sobre el pasamanos mientras bajaba corriendo. La anciana volvió a gritar. El intruso estaba casi en la calle. Olía a repollo cocido y a chocolate. O los vecinos estaban cocinando un extraño banquete, o el intruso tenía problema de gases.

La anciana estaba en la puerta de su apartamento en el segundo piso, dando vueltas a algún tipo de guiso en una cazuela. Pasé por su lado corriendo para enfilar el último tramo de las desgastadas escaleras de madera, bajando los peldaños de tres en tres. Más nubes de polvo y moho salieron de la alfombra cuando salté al final de la escalera corriendo hacia la acera y estornudé tres veces más.

El hombre ya había llegado a la esquina. Estaba comprobando su teléfono móvil y todavía llevaba puesto su ridículo pasamontañas. ¿Acaso ese era un buen momento para mandar un mensaje?

Comencé a correr y, cuando estaba a medio camino, Ava y Matt me llamaron por detrás de mí. El hombre levantó la vista y giró a la derecha. Yo di la vuelta a la esquina por el camino más largo, por si acaso me quería tender una trampa, pero él ya se encontraba al final del edificio. Esquivé a dos tipos delgados y con barba que venían hacia mí con la cabeza gacha y auriculares. Llegaron más clones de esa pareja y me colé entre ellos hasta que un SUV grande negro se paró justo en el bordillo de la acera. El hombre del pasamontañas morado abrió una puerta trasera, se quitó la bata del laboratorio y la tiró en la acera. Yo estaba tan solo a cinco metros de él, no había nadie más entre los dos, y por alguna razón grité:

—¡Alto!

Y se quedó quieto.

No había planeado qué hacer. Se dio la vuelta despacio para mirarme. El pasamontañas cubría casi toda la cara, pero sé que sonreía. Levantó su mano izquierda, me señaló con el dedo índice y dijo:

—Eres Jack, ¿verdad? —me quedé sin saber qué decir. ¿Cómo sabía mi nombre?

—No, soy Ava —respondí.

Él se rio de forma disimulada y mis nervios se relajaron. Fastidiar a la gente me relaja.

—Tengo un mensaje para tu amigo Hank —dijo.

Matt y Ava llegaron hasta mí y se colocaron a mi lado.

—¿De verdad? —pregunté.

—Sí. Si sabéis algo de él, le decís que no va a poder guardar su secreto durante mucho tiempo. Haré lo que tenga que hacer para conseguir ese USB.

—Ya has destrozado el laboratorio —dijo Matt.

—Y has derribado unos drones inofensivos y maravillosos —añadió Ava.

El hombre nos fulminó con la mirada bajo la visera de su gorra.

—Esos juguetes son el menor de vuestros problemas. Si no encontráis pronto a Hank, volveré a por vosotros tres —nos miró uno a uno y se paró frente a mí—. La próxima vez comprobaré si los tres podéis volar.

2

UNA IDEA ELÉCTRICA

VALE, BIEN. RECOPILEMOS. SOY JACK. SOY encantador y atractivo y razonablemente guapo. Y definitivamente no puedo volar. Soy tan pálido como un pañuelo de papel, y mi pelo es rubio y espeso. Debería tener los ojos azules, pero por alguna razón son marrones. Algunas veces me gusta llevar pajarita, y si soy increíblemente bueno en algo, todavía no sé en qué. Pero, investigando, ya he eliminado unas cuantas disciplinas deportivas: baloncesto y surf, por ejemplo. En lo que se refiere a mi mente, digamos que en una clase llena de niños de mi edad se me podría considerar de los muy inteligentes. Quizá, pero yo no formo parte de una clase, y no salgo con chicos de mi edad.

La mayor parte del tiempo la paso con mi hermana y con mi hermano. Matt es el mayor y a veces eso le da autoridad sobre Ava y sobre mí, pero no le hacemos mucho caso. Ava y yo solo nos llevamos seis meses. Ahora mismo ella es más alta que yo, pero no le digáis que lo he admitido. Ninguno de los tres tenemos una relación consanguínea y no nos parecemos. Ava tiene la piel oscura y lleva el pelo recogido en una coleta. Matt tiene el pelo oscuro y su tez es bastante morena. También es muy alto y su espalda es cada vez más ancha, a pesar de que no hace nada de ejercicio. En teoría Ava nació en Haití, pero ni Matt ni yo sabemos nada de nuestros orígenes. Hank siempre nos dice que eso no tiene ninguna importancia, porque genéticamente todos tenemos los mismos orígenes. De alguna forma, todos venimos de África. Y si quieres retroceder aún más, procedemos de la misma agrupación de organismos simples yendo a la deriva en el caldo primitivo de la vida.

De todas formas, la verdadera diferencia entre nosotros no tiene que ver con la estatura, el color o el peinado. Hank, Ava y Matt son muy inteligentes. Ava habla como once idiomas, o quizá doce. Como ya he dicho antes, puede construir cualquier cosa. Y Matt puede recitar de un tirón la historia del universo si se la preguntas, empezando por el Big Bang y continuando con la creación de la Tierra. Ya está en la universidad. Ava está terminando Secundaria, quizá podría haberla terminado ya, pero ella dice que no tiene ninguna prisa.

¿Y yo? Yo estoy empezando la Secundaria. Es un poco deprimente, sí.

Cómo acabamos juntos los tres es una larga historia, así que la reduciré a los puntos más importantes. Hace dos años, los tres estábamos viviendo en la misma familia de acogida. Todavía no está claro quién trazó el plan, yo digo que lo hice yo; pero el caso es que, en un momento dado, decidimos separarnos de nuestros padres de acogida. Mi hermano se encerró en la biblioteca de la facultad de Derecho el tiempo suficiente hasta que dominó todos los detalles legales y pudimos convencer al juez de que nos dejara vivir de manera independiente. No somos ricos, pero hicimos bastante dinero como para mantenernos escribiendo un libro de poesía, *Los huérfanos solitarios,* que resultó ser un superventas. Y cuando empezamos a vivir con Hank, otra larga historia, comenzamos a viajar bastante, por lo que no tenía sentido ir a un colegio normal. Así que nos educamos en casa a través de cursos por Internet. Algunas veces sí que me gustaría estar en un colegio normal con chavales normales. Pero los chicos normales no viajan al Polo Sur o a islas privadas en Hawái. Los chicos normales no trabajan en laboratorios alucinantes y secretos llenos de inventos extraños. Y los chicos normales no persiguen a hombres con pasamontañas por el barrio. Y a mí esta emoción me gusta.

Todo nuestro vecindario se estaba despertando. Camiones, taxis y coches de todos los tamaños circulaban en ambas direcciones, pero ninguno tocaba el claxon todavía. Un hombre con barba y una mujer rubia estaban apoyados en la fachada de ladrillo de una tienda de alimentación al otro lado de la calle mientras comían un polo. Acababa de comenzar el mes de agosto y el calor era sofocante. Por suerte, las bolsas de basura apiladas en las aceras no habían comenzado a oler todavía, y una tienda de *bagels* al final de la manzana nos regalaba esencias maravillosas. Desde el punto de vista de los aromas, esa no era una mala hora del día.

Los tres nos quedamos parados viendo cómo se iba el coche. Por el otro lado de la calle, se aproximaba una patrulla de policía por detrás de una furgoneta. Seguramente la sirena que habíamos oído provenía de ahí, la policía seguramente estaba multando al conductor por exceso de velocidad. Me separé un paso del bordillo esperando llamar la atención de la patrulla, pero esta giró a la derecha alejándose del SUV.

—¿Y ahora qué hacemos? —pregunté—. ¿Llamamos a la policía?

—Hank no quiere que entre nadie en su laboratorio, ni siquiera la policía —señaló Ava.

Nos dirigimos de nuevo hacia el laboratorio. La calle de Hank estaba en calma, y durante unos instantes nadie habló. Incluso podía oír cómo sus mentes pensaban.

—¿Cómo ha podido entrar? —se preguntó Ava.

Había dos formas de entrar en el laboratorio de Hank. El ascensor de la tienda de ultramarinos al otro lado de la calle era mi favorita. La puerta estaba escondida en un almacén de la parte de atrás, y solo Hank y nosotros tres sabíamos el código para abrirla. ¿Y por qué era esta entrada mi favorita? Porque Hank había abierto una cuenta en la tienda para que nosotros pudiéramos comprar una bolsa de patatas o algún refresco cuando entráramos o saliéramos, y ni siquiera teníamos que pagarlos. Pero mi hermana prefería el contenedor de basura, que se desplazaba cuando presionábamos un botón y descubría unas escaleras subterráneas. Así es como nos colamos en el laboratorio hace un año.

—¿Quizá por la tienda de ultramarinos? —sugirió Matt.

—Pero habría necesitado el código —señaló Ava—. ¿Y el contenedor de basura?

—No podría haber adivinado cómo entrar —contestó Matt.

—Pero nosotros sí que lo hicimos —señalé encogiéndome de hombros.

—En realidad fui yo —nos recordó Matt.

Ava iba a contestar cuando se paró de repente y empezó a correr. En el interior del laboratorio el charco seguía extendiéndose. Ava se apresuró a abrir el desagüe del tanque de agua para evitar que la sala se inundara.

—¿Y ahora qué hacemos? —pregunté.

—Pistas —dijo Matt—. Miremos por todos lados por si encontramos una pista sobre quién podría ser ese tipo y por qué estaba aquí.

El tanque de agua comenzó a vaciarse y Ava volvió hasta nosotros.

—Llevaba unas zapatillas de baloncesto muy chulas —dije.

Ava comenzó a dar golpecitos con el pie en el suelo mientras observaba el techo.

—Y ese pasamontañas morado... Y era tan ingenuo como para creer que habíamos inventado una capa de invisibilidad —añadió Ava.

—Mucha gente inteligente lo habría creído —dije—. ¿Qué estaba buscando? ¿De qué hablaba?

—¿El USB? —preguntó Matt.

—Justo —yo ya me imaginaba una llavecita robótica que podía abrir todo tipo de puertas. Quizá tuviera una cámara. O también podría entrar en el baño buscando manchas después de que mi hermano hubiera librado alguna batalla.

—Un *pendrive.*

—Es un pequeño dispositivo de memoria externa para almacenar fotos, archivos, documentos, lo que quieras almacenar en un ordenador.

—¿Y Hank utiliza uno? —pregunté.

—No sé por qué, pero hace poco empezó a almacenar todo su trabajo en un *pen* y lo lleva a todos lados —asintió mi hermana.

—¿Por eso lleva la riñonera?

Las últimas veces que le había visto, llevaba una pequeña riñonera enganchada a su cinturón. Muchas veces le decíamos que se la quitara, porque parecía un turista.

—No, el USB cabe en el bolsillo. No sé por qué lleva la riñonera —Ava se sentó derrotada sobre el camino de goma que circulaba por todo el laboratorio. Y después se apoyó sobre uno de los coches autónomos—. No lo entiendo. ¿En qué estaría trabajando? ¿Qué era tan importante para que alguien asaltara el laboratorio?

Nuestro mentor siempre estaba ocupado. Solía viajar por lo menos un par de veces cada mes a ciudades lejanas y a otros países para reuniones y congresos. Normalmente comprobaba en qué estábamos trabajando cada uno de nosotros y si necesitábamos algo, o si habíamos provocado alguna explosión en el laboratorio. Solía hablar a Matt y a Ava de sus proyectos. Parecía disfrutar compartiendo sus ideas con ellos. Pero últimamente se comportaba de una forma distinta. Estaba más callado, como con más secretos. En lugar de salir de viaje un par de días, se había ausentado durante semanas. Obviamente nosotros habíamos sobrevivido. Estábamos acostumbrados a apañárnoslas solos. Pero esto era distinto, y me parece que a ninguno de los tres nos gustaba esa situación. Ninguno lo había dicho abiertamente, pero nos sentíamos abandonados.

—Quizá sea un proyecto militar —sugirió Matt—. Un arma o algo así.

Ava movió de un lado a otro la cabeza.

—No. Hank siempre dice que en el mundo hay demasiadas armas.

—¿Y los extraterrestres? —sugerí.

—¿Qué?

Los dos me miraban como si el extraterrestre fuera yo.

—Sí, habéis estado trabajando en eso del satélite, y Hank siempre está hablando sobre vida inteligente en otros mundos. Quizá haya contactado con ellos y le hayan teletransportado a un planeta lejano para aprender sobre su civilización y presentarlos después en la Tierra.

A mí me gustaría llamarlos zorbakianos. Y me gustaría que fuesen verdes y tuvieran un solo ojo, con manos pequeñas del tamaño de agujeros de donut. Me los imaginaba emitiendo sonidos agudos para comunicarse. Y serían unos bailarines muy buenos, pero un poco raros. Como esos bailarines con los que te ríes mucho, pero ellos no se sienten ofendidos.

—¿De verdad estás preguntando si ha contactado con alienígenas? —preguntó Matt.

—Parad. Nos estamos distrayendo de nuestro tema.

Entonces fue ella la que se distrajo y casi tropieza. Yo me reí señalándola. Ava cerró los ojos y movió la cabeza. Y volvimos a subir los escalones hacia la biosfera. En el camino mi hermano señaló que el intruso no había asaltado las otras salas. No las había tocado, pero la biosfera estaba destrozada. El motor que hacía circular el agua del río artificial había dejado de funcionar. Cuando Matt quiso ponerlo en funcionamiento de nuevo, una pequeña anguila salió a la superficie.

Me incliné para acariciar a ese jovencito tan escurridizo.

En el último segundo, Ava me agarró de la muñeca.

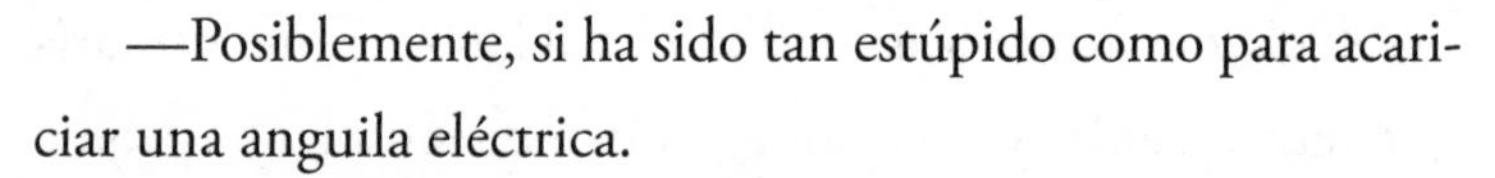

—¡Cuidado! Es eléctrica.

—Quizá por eso el intruso se agarraba el brazo —dijo Matt—. ¿Le habría dado calambre?

—Posiblemente, si ha sido tan estúpido como para acariciar una anguila eléctrica.

Eso me escoció. Matt me miró, pero Ava no vio la conexión. Yo continué.

—¿Por qué esta sala? ¿Por qué la biosfera?

—Es un modelo en miniatura de la selva —explicó Matt.

—La gente siempre está buscando nuevos medicamentos en la selva —dijo Ava—. Quizá Hank descubrió algo.

Una puerta se cerró de golpe debajo de nosotros. Matt me agarró del brazo mientras se oía una voz de mujer.

—¡Hola! ¿Hank?

Los tres salimos corriendo de la sala y miramos hacia el suelo.

—Es Min. ¿Qué está haciendo aquí? —preguntó Ava.

Min era la persona designada por los Servicios Sociales para encargarse de nosotros. O por lo menos ese había sido su trabajo durante un tiempo. Después desaparecimos en medio de Hawái y ayudó a Hank a buscarnos; y poco tiempo después dejó de trabajar para los Servicios Sociales. No sé muy bien a qué se dedica ahora, pero sigue comprobando que estemos bien y, sospechosamente, pasa mucho tiempo con Hank. Pero nunca habíamos visto a Min en el laboratorio. Ni siquiera sabía que ella podía entrar.

Ava bajó corriendo a su encuentro. Matt ajustó algo en el motor y el río comenzó de nuevo a fluir. Después de echar otro vistazo a la anguila contorsionista, le seguí para bajar yo también.

Min se levantó las gafas hasta dejarlas sobre la cabeza.

—¿Qué ha pasado? —preguntó.

—Alguien ha asaltado el laboratorio.

—¿Estáis bien? ¿No os han herido?

Todavía me dolía la cabeza.

—A mí me…

—Estamos bien —respondió Ava.

Le contamos lo que había pasado y fue asintiendo mientras hablábamos.

—¿Sabes algo de Hank? —preguntó Ava.

—Desde hace tres semanas, no. He venido a buscarlo.

—¿Y sabes adónde ha ido?

—No.

—¿Has notado algo extraño en él? —preguntó Matt.

—Además de haberse comportado de una forma rara últimamente —añadió Ava.

—Ya os he dicho que hace tres semanas que no sé nada de él. No ha contestado ni a mis llamadas ni a mis mensajes. Eso no es muy normal.

—¿Algo más?

Min dudó un instante.

—Arco —dijo.

—¿A qué te refieres, a arco y flechas?

—Sí. Fuimos a un campo de tiro con arco. Fue realmente bueno.

Ava chascó los dedos.

—Estaba pensando una cosa. A lo mejor ha vuelto a fumar.

—¿Fumar? No —insistió Min—. Eso es imposible. ¿Por qué piensas eso?

Ava fue enseguida al cuarto de baño y volvió con una caja de cerillas.

—Entonces, ¿cómo explicas esto?

Nadie lo sabe todo, eso es imposible. Pero a veces creo que mis hermanos sí lo saben casi todo, así que cuando uno de ellos desconoce algo que ocurre en el universo, estoy encantado. En éxtasis, tomando prestada una palabra que utiliza mucho Hank. Al darme cuenta de que Ava no sabía por qué había cerillas en el cuarto de baño, empecé a reírme, y también lo hizo Min.

—¿Qué pasa? No lo entiendo —dijo Matt.

Esto se estaba poniendo aún mejor.

—Las cerillas son para los malos olores del cuarto de baño… ya sabes… en el váter…

Hasta que lo pillaron, esos fueron los tres segundos más largos y más divertidos de toda mi vida. Durante ese instante, el inteligente era yo, el que sabía que el humo de una cerilla recién encendida asciende hasta tu nariz y tapa el mal olor provocado por lo que hizo la persona que entró en el baño antes que tú, amortiguando esas pequeñas partículas de mal olor. Yo lo sabía. Ellos no.

Fueron tres segundos.

—¡Ah! —dijo Matt.

—¡Ah! —exclamó Ava.

—Déjame verlas —pidió Min. Ava le pasó la caja de cerillas y Min la miró detenidamente—. Saudade. No conozco ese restaurante. ¿Os ha llevado allí alguna vez?

—No —respondí.

Ava tecleó algo en la pantalla de su móvil. Esperó e inclinó un poco la cabeza cuando los resultados de su búsqueda comenzaron a aparecer.

—En Nueva York no está, ni siquiera en este país. El restaurante está en Brasil —dijo mostrándonos la pantalla.

Inmediatamente Matt miró la biosfera.

—Eso concuerda con el interés por la selva —dijo—. En Brasil está la mayor extensión de selva amazónica, uno de los ecosistemas más ricos y diversos del mundo. Escuché una vez que cada tres días se descubren especies nuevas en la Amazonia. Allí es donde hay más anguilas eléctricas, y mucho más grandes que la que vive ahí arriba.

Ava tecleó de nuevo.

—El restaurante está en Manaos, una ciudad conocida por situarse a las puertas del Amazonas.

—¿Así que Hank está en Brasil? —pregunté.

Nadie contestó de forma inmediata.

—Quizá —se aventuró a decir Matt.

—¿Y por qué? ¿En qué está trabajando? —preguntó Ava.

—Lo que quiera que sea, es lo suficientemente importante para hacer que asalten el laboratorio —dijo Matt.

—Y para que casi me maten —le recordé.

—¿Qué dices? —preguntó Min.

Ava movió los ojos.

—No le ha pasado nada.

Min ya me estaba inspeccionando y decidí que se lo contaría un poco más tarde. Por lo menos ella mostraría algo de compasión.

—Quizá se nos ha pasado algo por alto allí arriba —dijo Matt.

Comenzó de nuevo a subir cuando en el segundo peldaño se me ocurrió algo.

—¡La anguila!

Los demás respondieron al unísono, pero con distinta entonación:

—¿Qué?

Vale, rebobinemos un poco. Muchas ideas fluyen en el laboratorio de Hank. Por supuesto, el autor de la mayoría es el propio Hank. Pero mis hermanos también son muy productivos. Hace poco, Ava y Matt diseñaron su propio CubeSat, un minisatélite del tamaño de un tostador. Lo llamaron *Cheryl,* y tenía unas funciones asombrosas. *Cheryl* podía tomar fotos, enviar y recibir datos y mucho más. Lanzarlo al espacio no era fácil, pero Hank ya tenía planificado mandar un par de satélites. Uno de ellos falló, así que yo fui quien envió unos *emails* a la compañía encargada del lanzamiento desde su cuenta de correo, y convencerlos de que lanzaran a *Cheryl* para sustituir al satélite de Hank que no podía lanzarse.

Unas semanas más tarde, una lanzadera espacial atravesó la atmósfera dejando a *Cheryl* en órbita. Desde entonces, ha estado dando vueltas al globo terráqueo y los genios han estado rastreándola y programándola. El proyecto tenía que haber sido una sorpresa para Hank, pero no habían podido decírselo todavía. La verdad es que no me importaba, porque entonces tendría que explicarle lo del uso de su cuenta de correo.

En lo que a mí respecta, las ideas no me fluyen con tanta facilidad, pero de vez en cuando una idea brillante aparece desde mi cerebro como un rayo. Hace casi nueve meses, estuvimos en la isla hawaiana de Nihoa, relacionándonos con una megamillonaria, con el rey del aire acondicionado y con una ingeniera muy brillante. Bueno, es una larga historia. El caso es que allí tuve una idea. Alguien estaba hablando sobre energía, y se empezó a hablar sobre las anguilas eléctricas y yo lancé la idea de que sería genial utilizarlas para dar electricidad a una casa o un coche. Todos se rieron de mí. Bueno, todos menos Hank. Él dijo que había algo parecido. Y eso fue todo.

Y ahora había estado pasando temporadas en Brasil, cerca del corazón del Amazonas. Matt acababa de decir que allí vivían casi todas las anguilas eléctricas que había en el mundo. Hank había reconstruido la biosfera para albergar a una anguila eléctrica, y alguien acababa de asaltar nuestro laboratorio y había destrozado esa sala y un coche autónomo.

¿Y si estuviera buscando anguilas en su interior?

Fui corriendo para inspeccionar el motor.

—¿Qué estás haciendo? —preguntó Ava.

Y se lo expliqué.

Esta vez fue Min la que se rio.

—Venga, Jack, que esto es serio —dijo Matt.

—Una anguila eléctrica no puede dar energía a un coche —remarcó Ava.

La expresión de Matt cambió. Se llevó la mano a la barbilla y miró hacia la biosfera.

—No, pero…

—Se puede aprender de ella… —Ava completó con un

susurro. Primero miró el coche y después a la biosfera—. ¿Biomimetismo?

—¿Y eso qué es? —preguntó Min.

—Yo lo sé —grité.

—No tienes que levantar la mano, Jack —dijo Min—. ¿Qué es?

—Cuando inventores e ingenieros imitan la naturaleza y toman prestadas sus astucias. Estudian cómo una planta, un insecto o un pájaro hacen algo e intentan copiar esa idea en una máquina.

—Quizá haya estado estudiando cómo las anguilas dan una descarga eléctrica a sus víctimas para desarrollar un arma o algo parecido —supuso Matt.

—O para mejorar una batería —sugerí yo.

Ava señaló el vehículo:

—La batería de un vehículo eléctrico.

—Hay gente que podría pagar millones por una batería mejor —comentó Matt.

—Incluso cientos de millones —le corrigió Min.

Saqué mi teléfono y comencé a buscar.

—¿Qué estás haciendo, Jack? —me preguntó Min.

—Estoy buscando vuelos.

—¿Adónde?

Yo creía que era obvio.

—Hank tiene problemas. Debemos advertirle, pero primero tenemos que encontrarle, y todas las pistas apuntan a un lugar: nos vamos a Brasil.

3
NUNCA TE SIENTES SOBRE UN ÓSCAR

CINCO DÍAS MÁS TARDE ESTÁBAMOS VOLANDO en dirección sur. Aunque Min no pudo venir con nosotros, insistió en que le mandáramos constantemente noticias. Y Matt compró los peores billetes. No quiero parecer un niño pijo, pero una vez volamos en un *jet* privado que pertenecía a J. F. Clutterbuck, el inventor multimillonario de los calcetines sin olor. Una vez que tienes una experiencia de ese nivel, un avión comercial es de lo más decepcionante. Los refrescos ni siquiera saben igual. Y encima tuvimos que volar en cuatro aviones normalitos. Había vuelos sin escalas, pero mi hermano dijo que eran demasiado caros. Así que volamos primero a Chicago y después a Charlotte. Allí esperamos seis horas. Después volamos a Miami, donde esperamos otras cinco horas antes de tomar el avión hasta Manaos, la capital extraoficial de la Amazonia.

Antes de emprender el viaje, todo lo que sabía de Brasil era por alguna película de dibujos animados de un montón de pájaros parlantes. Así que tenía que informarme. En mi equipaje metí unos cuantos libros de la biblioteca y otros que compré en una pequeña librería a la vuelta de la esquina. También me descargué un montón de documentales y una película sobre un niño cuyo avión se estrella en la selva amazónica. Matt me dijo que era una película tonta y un poco infantil, pero la vio enterita por encima de mi hombro. En secreto, últimamente ha estado viendo un montón de películas que le he recomendado, incluyendo la trilogía sobre un francotirador. Esas pelis estaban genial, el francotirador era tan bueno, que cuando la víctima veía el circulito rojo sobre su pecho, se rendía inmediatamente y ni siquiera tenía que apretar el gatillo.

De todas formas, en nuestro último vuelo, tras haber recargado pilas con un par de cafés con leche muy azucarados y servidos en tazas de poliestireno, y haber comido por lo menos una docena de bolitas de queso del tamaño de pelotas de golf llamadas *pão de queijo,* fue el turno de devorar tanta información sobre Brasil como pudiera. Ava estaba aprendiendo portugués a través de una aplicación en su móvil, y Matt estaba trabajando con el código de programación de *Cheryl,* su satélite. Ambos estaban ocupados, así que yo empecé a estudiar para poder ser el experto en Brasil. Normalmente llevo una libreta y en ella fui anotando datos curiosos mientras leía.

Lo primero, deciros que Brasil es enorme, tan grande como Estados Unidos sin contar con Alaska. En Brasil viven doscientos millones de personas, y allí hay mucho más que fútbol y samba. El territorio fue colonizado por los portugueses en el siglo XVI, y Hank no era la primera persona en investigar sobre las anguilas eléctricas. Un científico alemán que se llamaba Alexander von Humboldt llevó una vez cuarenta caballos por el agua infestada de anguilas para ver qué sucedía. Las anguilas los electrocutaron, y algunos caballos murieron. La parte buena de la historia fue que Humboldt siguió experimentando y provocándose descargas eléctricas, por lo que a menudo caía enfermo durante días.

Hoy en día, en Brasil se ha localizado petróleo y gas natural, y los brasileños son los que más gastan en productos de belleza de todo el mundo. Incluso la gente con pocos recursos económicos puede acceder a la cirugía estética. Aparentemente, la gente da muchos abrazos y no guardan mucha distancia cuando hablan con otras personas. A Ava eso no le iba a gustar. Y el fútbol es más que un deporte, es más parecido a una religión. Tanto los jugadores como los aficionados sollozan cuando pierden y lloran de alegría cuando ganan.

Pero nosotros, en realidad, no íbamos a viajar a esa parte de Brasil. Si Hank estaba investigando las anguilas eléctricas, posiblemente estaría en lo más profundo de la selva amazónica, y ese era un mundo aparte. Antes de salir de viaje, estaba deseando ir. Hacer senderismo, dormir en hamacas, mirar los monos desplazándose de un árbol a otro, reírme al ver a mi hermano tropezar con las raíces escondidas de los árboles y caer de morros en plena jungla. Quizá incluso podría ver de cerca un perezoso, uno de mis animales favoritos. Parecían unas vacaciones idílicas. Pero cuanto más leía sobre la Amazonia, mi opinión iba cambiando. Estaba aterrorizado.

La selva amazónica es uno de los sitios más peligrosos del mundo. El río Amazonas está lleno de cocodrilos monstruosos llamados caimanes, pirañas de dientes afilados y un pez pequeño que se llama candirú y que puede meterse dentro de tu cuerpo si haces pis en el agua. La selva es tan espesa que por algunos sitios los caminantes se tienen que abrir paso con un machete. Bueno, eso parecía divertido, pero imagínate hacer eso mismo en la oscuridad. En algunos sitios los árboles son tan altos que forman un techo que impide la entrada de luz.

Los jaguares merodean por la selva. También nadan, así que es imposible burlarlos saltando al río mientras esquivas las pirañas. Durante la noche, los murciélagos vampiro pueden precipitarse sobre la gente dormida para hundir sus colmillos en ellos. Hay bichos que pican en los labios. Bichos que se meten bajo la piel como si fuera un saco de dormir. Bichos que te pueden provocar la ceguera incluso veinte años después de haberte picado. Bichos que pueden echar un compuesto químico mortal. Incluso las hormigas son terroríficas.

Una especie es conocida por comerse la tela de las tiendas de campaña, otras incluso cortan los calzoncillos.

Pues sí. No parecía un lugar ideal para ir de vacaciones.

Pasadas cuatro horas desde el comienzo del último vuelo, sentado al lado de una mujer que roncaba y cuyo pelo olía a perfume de popurrí, comencé a entrar en pánico. Me olvidé de la hamaca y de los monos graciosos. En ese momento me vi corriendo por la jungla, medio ciego y cubierto por picaduras de bichos, con mis calzoncillos comidos por las hormigas y deseando haberme quedado en nuestro apartamento de Nueva York. Cerré el último libro y me recosté en el asiento. El olor del pelo de mi vecina me estaba molestando, y consideré utilizar uno de los inventos que había cogido del laboratorio. Consistía en un tubito pequeño parecido a los de los dentífricos y se basaba en el famoso aspirador nasal, uno de los inventos más geniales de Hank. En realidad, aspiraba olores desagradables del mismo modo que el aspirador nasal aspiraba mocos. Hank lo llamaba el Quitaolores, y nunca lo había probado. Así que hice como si estirara el brazo a la lamparita que quedaba encima de la cabeza, puse el tubito sobre la cabeza de la señora y aspiré el olor.

Por lo menos, durante unos minutos pude respirar tranquilo. El hombre al otro lado del pasillo estiró el brazo hasta mi pila de libros y dio un golpecito en la portada de *Sobrevi-*

vir en la Amazonia. Las luces del avión eran muy tenues y no podía verle bien, pero tenía los ojos muy redondos y la barba muy recortada.

—La Amazonia. No está mal —dijo.

—¿Ah, no? —miré la pila de libros y después a él—. Parece terrorífica.

—No te lo creas todo —dijo moviendo sus manos—. Si vas allí, contrata un buen guía y haz todo lo que te diga —el hombre rebuscó en su bolsa bajo el asiento que tenía frente a él—. Ah, y ponte esto por las noches —me dijo pasándome una bolsita—. Lo llevo para los vuelos largos, pero nunca puedo dormir, así que toma.

Abrí la bolsita.

—¿Tapones para los oídos?

—Hazme caso. Los vas a necesitar.

Aterrizamos antes del anochecer y salimos renqueando del avión como si acabáramos de llegar de Venus. Todos los carteles del aeropuerto estaban en portugués, y Matt me gastó una broma haciendo que yo entrara en el baño de mujeres por equivocación. Cuando recogimos nuestro equipaje, tardamos tres horas en convencer a la policía de aduanas de que nos dejara pasar. Tres adolescentes que viajan solos a un país extranjero ya es extraño; pero cuando revisas sus maletas y ves que hay más aparatos que ropa, ahí empiezan realmente las preguntas. Afortunadamente, Ava había aprendido suficiente portugués en el avión como para convencer a los policías de que no éramos ni delincuentes ni contrabandistas.

Fuera de la terminal, el aire era cálido y húmedo y caía una fina lluvia. Vimos pasar coches y taxis. Algunos estaban aparcados en paralelo y otros, en batería. Una furgoneta se paró cerca de la acera para recoger a una señora con enormes gafas de sol y pelo largo moreno. Matt tenía la mano sobre los ojos intentando divisar nuestro transporte en medio de todo el tráfico. Cuando vio un vehículo rectangular, grande, blanco y algo oxidado que desprendía un humo gris, dijo:

—Ese es nuestro autobús.

—¿Nuestro autobús?

—No vamos a coger el autobús —dijo Ava.

Mi hermana y yo casi nunca estamos de acuerdo, pero en ese momento teníamos la misma opinión. Levantó la mano al ver pasar un taxi. El conductor dio un frenazo y retrocedió un poco provocando que otros coches se apartaran de su camino. Se inclinó sobre la ventanilla del pasajero y preguntó:

—*Onde você vai?*

—Quiere saber adónde vamos —anunció Ava.

—Los taxis son muy caros —protestó Matt.

Ava y yo entramos en el coche. Matt gruñó, pero nos siguió, obligándome a pasar al asiento del medio. Yo odio el asiento del medio.

El viaje a la ciudad podría haber sido interesante. El conductor hablaba un poco de inglés y nos hizo de guía turístico, señalando edificios, colinas y contándonos historias interesantes. Nos habló del famoso Teatro Amazonas, un teatro de la ópera construido por las grandes fortunas de Manaos en el siglo XIX, y entonces me quedé dormido. Abrí los ojos y noté que un gran hilo de baba colgaba de la comisura de mis labios y sentí mi estómago demasiado pesado después de haber comido una docena de aquellos panecillos de queso. Algún que otro olor desagradable trataba de escapar de mi cuerpo, pero los aspiré con mi Quitaolores antes de que mis hermanos quedaran abatidos por tanta esencia.

El conductor giró hacia la avenida Alberto Santos Dumont y nos explicó:

—Esta calle lleva el nombre del primer hombre que voló en un avión.

—Pero si fueron los hermanos Wright —le corrigió Matt.

—No, no —insistió el conductor—. Santos Dumont fue el primero.

Yo di un codazo a mi hermano.

—Estamos en su país —le recordé—, es inútil discutir.

Unos minutos más tarde el coche frenó de golpe. La lluvia salpicaba en el capó.

—Creía que era la estación seca —dijo Ava.

El taxista se rio.

—La estación seca también es húmeda, pero un poco menos húmeda.

Cuando mi hermano nos dijo que había reservado habitaciones en un buen hotel, me imaginé candelabros y suelos de mármol, recepcionistas vestidos de esmoquin. Sábanas de seda en la cama y en las habitaciones una red wifi superrápida. Quizá también una jarra de agua con rodajas de limón y pepino. Pero nuestro hotel parecía abandonado. La acera estaba con agujeros y parcheada por tantos sitios, que tuve que sortear los baches para llegar hasta los escalones de piedra de la puerta principal. Los escalones estaban muy desgastados y un cuenco de plata abollado se encontraba a un lado lleno de agua con barro. Esa no era mi idea de bebidas gratis en la recepción de un hotel.

Ava y yo cogimos el equipaje y pagamos al taxista, mientras Matt entraba deprisa hacia la recepción. El recepcionista llevaba puesta una camiseta de fútbol amarilla y verde. Un cigarrillo sin encender colgaba de sus labios. Matt empezó a discutir con él y, pasados unos minutos, Ava fue en su ayuda. Escuchó al recepcionista y se volvió hacia Matt.

—Dice que no funciona la tarjeta de crédito.

—Dile que lo intente de nuevo.

Ava lo repitió, pero con el mismo resultado. Lo intentó con cuatro tarjetas de crédito diferentes —yo no sabía que tuviéramos tantas— hasta que una de ellas fue aceptada y

Matt emitió un sonoro suspiro, como si le hubieran absuelto de algún delito. Me pasó la llave y agarró su bolsa.

—¿Qué pasaba? —pregunté.

—Nada —dijo tajante Matt.

Nuestra habitación era bastante correcta. Por lo menos la ducha estaba limpia. Me tiré boca arriba en la cama y me sentí listo para probarla durante catorce horas, pero unos calcetines enrollados rebotaron en mi frente.

—Venga —dijo mi hermano—. Estamos cerca del restaurante Saudade. Debemos empezar a investigar.

Me reincorporé y bostecé. Matt tenía razón, pero yo estaba agotado.

—¿No podemos esperar hasta mañana? Y oye, ¿esos calcetines estaban limpios?

—No y no.

—Venga, Jack —Ava apoyaba a Matt—. ¿Tenemos que recordarte que Hank está en peligro?

—Posiblemente en peligro —puntualicé.

—Hay una línea muy fina entre «posiblemente» y «efectivamente».

—¿Qué?

—Que te levantes.

Por lo menos me dejaron unos minutos para que me cambiara. Mi camiseta olía a laca. Y, además, el restaurante Saudade era de cinco estrellas, y eso era algo serio. Saqué una camisa de manga corta, unos vaqueros, zapatillas de baloncesto negras y una pajarita con estampado de pirañas (me fui de compras antes del viaje). Matt no paraba de gritarme diciendo que me diera prisa y Ava me decía que cuántas veces iba a repetir el nudo de la pajarita.

—Hasta que esté perfecta —respondí.

Eso me llevó cuatro intentos. Después de coger un impermeable y arreglarme el pelo, seguí a mis hermanos por la ciudad. La lluvia era menos intensa, pero solo un poco, y la acera estaba llena de agujeros. Los coches y los taxis intentaban esquivar los baches del asfalto. Matt había memorizado el camino y nos llevó hasta una zona llena de restaurantes y bares de zumos de fruta y bizcochos rellenos de una baya maravillosa de la Amazonia llamada acai. Las ventanas estaban cerradas y los cristales empañados por el calor y la lluvia. Intenté echar un vistazo al interior de un restaurante cuando mi hermana me avisó.

—¡Cuidado!

Un montón de niños, algo más pequeños que mi hermana y yo, pasaron por nuestro lado riendo. Llevaban camisetas raídas y sin mangas y chanclas en los pies. Un niño señaló mi pajarita e hizo un gesto como si diera un mordisco, supongo que imitando a una piraña. Otros me ofrecieron su mano para chocar los cinco, por supuesto, yo acepté. Así que choqué los cinco a todo el mundo. Matt y Ava dudaron al principio, pero después hicieron como yo. Me sentí una estrella del pop, y ya cuando los chicos nos habían pasado, ellos también resplandecieron contentos.

—¡Eso ha sido guay! —dijo Ava.

—Nunca hemos visto a ningún chaval en Nueva York hacer eso, ¿no? —comentó Matt moviendo la cabeza.

—Bueno, es que tengo don de gentes —dije encogiéndome de hombros.

El restaurante Saudade se encontraba a unos metros y, cuando estábamos a punto de llegar, la lluvia cesó. La fachada estaba limpia y parecía recién pintada de verde. Un gran ventanal cuadrado, milagrosamente limpio de vaho, nos permitió ver el interior.

—Parece que está lleno —dije.

Desde el interior, una señora de pelo negro y muy liso nos saludó con una sonrisa. Una docena de cajas de cerillas estaban apiladas muy bien ordenadas en una bandeja de cristal. Eran exactamente iguales a la que encontramos en el laboratorio.

Ava dijo algo en portugués antes de que la mujer levantara el dedo y se fuera a la parte de atrás del restaurante, hacia la cocina.

—¿Adónde ha ido?

—Supongo que a por el director —contestó Ava.

No había ninguna mesa libre, pero tampoco íbamos a comer. Tres altas sillas de madera estaban apoyadas contra la pared. Justo me iba a sentar cuando alguien me dijo desde el otro lado de la sala:

—¡No, no te sientes sobre mis óscars!

Una docena de comensales se volvieron hacia mí. Me puse derecho con las manos en alto.

—Perdón, ¿cómo dice?

El hombre tendría unos cincuenta y tantos años y llevaba un delantal blanco manchado de marrón, rojo y morado. El color de su pelo era entre gris y negro como el carbón, y su barba espesa, casi blanca. Sus ojos marrones parecían demasiado grandes para alguien de su estatura, y tenía unos brazos anchos como de trabajador de la construcción, no de chef de un restaurante. Su gran sonrisa y grandes ojos le hacían dar menos miedo.

—No, no, lo siento. Pero tienes que entender… no te puedes sentar sobre mis óscars.

—¿Sus óscars?

—Las sillas. Las diseñó Oscar Niemeyer.

—El arquitecto —me aclaró Matt—. Fue quien diseñó Brasilia, ¿verdad? Es la capital.

—Sí, sí. ¿Entiendes de arquitectura?

—Entienden de todo —respondí yo, y eso que yo era el experto que había leído tanto sobre Brasil.

El hombre me miró rascándose la barba con un dedo endurecido por el trabajo. Hacía un ruido como si un cepillo estuviera fregando una cacerola sucia.

—Me gusta tu pajarita —me dijo señalándome.

—Gracias.

—Yo os conozco, pero ¿de qué?

Matt estiró la mano y se la dio al hombre.

—Nosotros escribimos *Los huérfanos solitarios.* Se publicó en Brasil el año pasado. Aunque no se ha vendido tanto…

—¿Huérfanos? ¿Qué huérfanos? No sé nada de huérfanos. Pero tú… —dijo señalándome con su pulgar—. Pero tú eres…

Me atusé el pelo y me ajusté la pajarita, entonces contesté.

—Soy Jack. Ellos son Ava y Matt. ¿Es usted el dueño del restaurante?

—Sí, claro. Soy Joaquim Andrés da Silva Ribeiro. Soy el chef y el dueño.

—¡Cuántos nombres!

—En Brasil nos gusta tener muchos nombres. Mi hermano tiene once, pero le llamamos Boo.

Me reí y Matt me dio una patada.

—Sí, es divertido, no te preocupes.

—¿Tiene tarjeta de visita? —le pregunté.

—Ahora no, Jack.

Hace unos meses empecé a coleccionar tarjetas de visita. Lo mejor de todo era pedirlas, me hacía sentir muy mayor.

Joaquim me dio una tarjeta limpia impresa en un buen papel verde. Me la metí en el bolsillo mientras él cogió la *tablet* del mostrador.

—¿Tenéis reserva?

—Es que no hemos venido a comer —dijo Ava.

—Esto es un restaurante. Aquí la gente viene a comer.

—Esperábamos que nos ayudara a encontrar a un amigo nuestro —contestó Ava—. Creemos que vino aquí hace poco.

—¿Hace poco? ¿Cuándo, ayer?

—Algún día de los últimos meses.

Joaquim hizo una mueca y respiró sonoramente.

—Cada día servimos comida a unas cien personas. Por aquí han pasado más de mil personas en los últimos meses.

—Le puedo enseñar una foto —sugirió Ava—. Se palpó los bolsillos y me miró. Mi teléfono. No tengo el teléfono.

Matt buscó el suyo.

—Yo tampoco.

Los dos me estaban mirando y me encogí de hombros.

—Yo no los tengo. He dejado el mío en la habitación.

—¿Habéis venido andando hasta aquí? —preguntó Joaquim.

Matt asintió.

—Sí, ¿por qué?

—¿Y por el camino os habéis encontrado a una pandilla de chicos de vuestra edad muy simpáticos?

—Sí —dije—. Eran muy majos. He sentido como que conectábamos enseguida.

—Ellos son los que tienen vuestros teléfonos —aclaró el chef encogiéndose de hombros.

Ninguno de nosotros había casi hablado con ellos. No sé mis hermanos, pero yo, en silencio, estuve reviviendo la escena. Nos habían robado mientras nos chocaban los cinco.

—¿De verdad? ¿Nos han robado los teléfonos? Voy a llamar a la policía —dijo Ava.

Joaquim sugirió que era inútil.

—¿Tenéis vuestras carteras? —nos preguntó. Yo sí la tenía, y Matt y Ava también—. Bien. Esos chicos no son tan malos, os han dejado el dinero. Y estáis bien, así que no hay que llamar a la policía. Os podrían decir que la culpa es vuestra por no cuidar mejor de vuestras pertenencias. Entiendo el problema, así que no tenéis una foto de vuestro amigo, ¿no?

Mi hermana dijo algo en portugués y él le pasó la *tablet.* Buscó en Internet para enseñarle una foto de Hank. Joaquim estudió la imagen durante unos segundos antes de pedirnos disculpas encogiéndose de hombros. Pero Ava no se iba a rendir fácilmente. Señaló las cámaras de seguridad en las cuatro esquinas de la sala.

—¿Podemos echar un vistazo a las grabaciones de seguridad para ver si ha estado aquí?

El chef se cruzó de brazos y movió la cabeza. Respiró profundamente varias veces mirándonos con los ojos entrecerrados.

—¿Por qué es tan importante? ¿Quién es ese hombre?

—Es muy famoso —dije.

Joaquim puso sus manos en mis hombros y señaló hacia la sala.

—Ese es el alcalde de Manaos —entonces señaló a una mujer con el pelo corto gris—. Y la mujer que está a su lado es una de las empresarias más poderosas de todo Brasil —entonces señaló la mesa de al lado—. Ese hombre hace algún tiempo fue uno de los mejores jugadores de fútbol del mundo. Los poderosos y famosos vienen a menudo a mi restaurante.

—Se trata del Dr. Henry Witherspoon, pero nosotros le llamamos Hank.

Nada.

—Es el inventor del aspirador nasal —añadí.

Joaquim no tenía ni idea. Ava nombró otros inventos famosos de Hank y Joaquim le dijo que parara.

—No quiero saber nada de esos logros. ¿Por qué lo estáis buscando? ¿Es vuestro amigo? ¿Vuestro tío, vuestro padre?

No contestamos. Miré hacia Matt, pero estaba esperando a que Ava empezara a hablar. Finalmente dije yo:

—Es una pregunta complicada.

—No mucho —respondió Joaquim.

—No es nuestro padre —dijo Ava.

—¿Ah, no?

—Realmente, no —respondí yo.

—¿Lo es o no lo es?

No quería responder, y mis hermanos tampoco.

—Necesitamos encontrarlo. ¿podemos ver las grabaciones de seguridad? —pedí.

—Por favor… —añadió Ava.

Joaquim aspiró aire por la nariz y contestó:

—No.

Yo tenía casi trece años. Tenía que haber abandonado por completo mi expresión de hacer pucheros. Pero necesitábamos ver ese vídeo. Necesitábamos ganarnos la comprensión de ese tipo. Necesitábamos que empatizara con nosotros. Así que incliné la cabeza hacia delante y hacia atrás y levanté mi labio inferior. Entonces intenté recordar cómo me sentía antes de encontrar a Ava y a Matt. Reuní mis peores recuerdos, y los primeros momentos en una casa de acogida, cuando no sabía con qué me iba a encontrar. O las noches en la cama de nuestro apartamento preguntándome cómo sería tener un padre que me tapara o me diera las buenas noches desde la puerta. Mi mandíbula empezó a temblar. Mi vista se nubló cuando las lágrimas se agolparon alrededor de mis ojos. Las primeras gotas rodaron por mis mejillas y, finalmente, agité mis largas pestañas.

De repente, la expresión de Joaquim cambió.

—¡Sí, ya sé quién eres!

Esa reacción no me la esperaba.

—¿Le conoce? —preguntó Matt.

El chef cogió mi cara entre sus manos y me secó las lágrimas con sus grandes pulgares. Sus manos olían a sal y especias. Después movió mi cabeza antes de decir:

—¡El vídeo! El cachorro… ¡eres el chico que hizo una reanimación cardiopulmonar a aquel perrito tan mono! —juntando sus manos en posición de oración, se volvió hacia la cocina y gritó algo en portugués.

Unos cuantos cocineros vinieron hacia nosotros.

Sobre el cachorro… existe un vídeo en el que se me ve haciendo una reanimación cardiopulmonar a un perrito. El momento en el que vuelvo la cabeza hacia la cámara con lágrimas en los ojos es verdaderamente emotivo. El vídeo es increíblemente famoso. Lleva casi dieciséis millones de reproducciones. Pero también es un poquito falso. El pequeñín no estaba inconsciente. Se nos ocurrió la idea mientras estábamos en mitad del proceso judicial. Mi hermano intentaba demostrar que no necesitábamos padres de acogida, y que podíamos cuidar de nosotros mismos; así que se nos ocurrió que el vídeo del cachorro pondría a la gente de nuestra parte para mostrar que teníamos un gran corazón. Matt y Ava insisten en que sus argumentaciones nos hicieron ganar el caso, pero yo creo que el cachorro jugó un papel importante. Eso sí, nunca antes me había encontrado con fans del vídeo.

Joaquim pasó los brazos por los hombros de dos de sus cocineros y explicó:

—Todos los días vemos este vídeo para hacernos recordar que todavía existe el bien en el mundo, y que la gente a la que servimos puede hacer el bien. Nuestra misión es honrar cada cena como si ellos fueran el maravilloso chico del vídeo. Y ahora... ¡ese chico está aquí! En mi restaurante. Por favor, quédate a comer. Debes quedarte. Te acomodaré en una mesa.

Joaquim se dio la vuelta buscando por toda la sala y se dirigió hacia un grupo de cuatro personas. Dos hombres y dos mujeres estaban sentados bajo un cuadro de un monstruoso pez dragón. Una de las mujeres se estaba llevando un trozo de carne roja hacia la boca con un tenedor de plata cuando Joaquim le retiró el plato. Después cogió el plato de su compañero de mesa. Llamó entonces a la camarera, que fue deprisa a retirar el resto de los platos con comida. La mujer del trozo de carne se puso en pie y empezó a gritar a Joaquim. Él también le gritó.

—¿Qué están diciendo? —pregunté a Ava.

—Todavía no he aprendido los insultos. Pero creo que ha dicho algo de una capibara.

—Es un roedor enorme que vive en la selva —explicó Matt—. Son buenos nadadores.

Ya lo sabía. Se parecen a marmotas mutantes.

—¿Crees que los está echando para que nos sentemos nosotros?

Los dos hombres me fulminaron con la mirada.

—Eso parece.

La mujer le insultó de nuevo y Joaquim se llevó el puño a los ojos y comenzó a llorar. Entonces la mujer empezó a gimotear. Tras unos segundos, se abrazaron.

—¿Qué está pasando? —pregunté.

—No tengo ni idea —dijo Ava.

—Fascinante —comentó Matt mirándolos.

Me recordó a Hank diciendo lo mismo, pero no tenía por qué comentarlo.

La camarera llevó a los cuatro comensales hacia la cocina, y Joaquim nos llamó cuando la mesa estuvo lista. Un camarero puso enseguida platos limpios y cubiertos de plata. Joaquim siguió mi mirada hasta la cocina.

—¿Estás preocupado por ellos? No lo hagas. Ella es mi hermana, y comen aquí una vez por semana, pueden terminar de hacerlo en la cocina.

Tendría que preguntarle acerca del insulto de la capibara. Matt lo merecía de vez en cuando. Mi hermano se inclinó sobre la mesa para estudiar el menú. Se desplazó hacia donde estaba sentada Ava y susurró:

—No sé si podremos pagarlo.

—¿Pagarlo? No vais a pagar nada —Joaquim me dio una palmada en la espalda tan fuerte que mi corazón dio un latido de más—. Por favor, sentaos, pedid y comed.

Matt y yo nos sentamos en las sillas, pero Ava se quedó de pie.

—¿Y los vídeos de las cámaras de seguridad?

—Los podréis ver más tarde.

—Me gustaría empezar ahora.

Joaquim se rascó la barbilla, miró a Ava con los ojos entornados y ella le devolvió la mirada de forma decidida, como si una luz estuviera brillando desde lo más profundo de su mente. La dura mirada del chef se transformó en una sonrisa.

—Te diré dónde están.

—Pedid algo sencillo para mí. Algo de pasta —nos dijo Ava.

Matt llamó al camarero y le pidió un menú en inglés, pero no había. Mi hermano sugirió que nos trajeran unas hamburguesas con queso y un plato de pasta. El camarero sonrió y no me gustó esa sonrisa.

—¿Por qué comería aquí Hank? —preguntó Matt.

—¿Porque estaba hambriento?

—Ja. Qué gracioso. Pero ¿por qué precisamente aquí? Hank es vegetariano —mi hermano señaló con la cabeza los platos sobre la mesa de al lado. Los platos estaban repletos de jugosos filetes y piezas de cerdo—. Parece que aquí todo es para los carnívoros.

—Quizá alguien le invitó.

—¿Quién?

—A lo mejor Ava lo encuentra.

Cuando llegó la comida, casi salto de mi silla. El camarero sonrió de nuevo y dijo algo en portugués. En los platos que colocó frente a nosotros, cuatro dados de mango anaranjado reposaban sobre una salsa marrón morada, y encima de cada mango había una hormiga negra muy grande. Con cuidado quité una con mi tenedor. Menos mal que estaba muerta.

—¿Creías que iba a moverse? No están vivas —dijo Matt—. Los insectos son una gran fuente de proteínas.

—Pues cómetela tú.

Mi hermano se quedó pálido. Quité otra de las hormigas de la fruta, envolví un trozo de mango con la salsa y me lo llevé a la boca. Matt me miró.

—Está delicioso, de verdad.

—¿Te gusta mi tucupí?

Joaquim estaba a nuestro lado.

—¿Tucupí? —pregunté.

—La salsa. He añadido hormigas en polvo. Un sabor interesante.

Ava se puso a su lado.

—¿Y mi pasta? —preguntó.

—Aquí sirven hormigas.

Se encogió de hombros.

—Buena fuente de proteínas —pinchó una de las pequeñas criaturas junto con un trozo de mango y la masticó—. No está mal, sabor a limón.

Se suponía que yo era el atrevido, el que corría riesgos. ¿Me tenía que arrebatar también ese título? ¿Aunque eso significara comer hormigas?

—¿Cómo ha ido? ¿Has encontrado algo?

—Tendremos resultados en una hora —dijo al terminar de masticar.

—¿Resultados?

—He descargado un programa que analiza los rostros en los vídeos y le he pasado un retrato de Hank, así que sabe a quién buscar. Le llevará una hora.

—Estupendo —dijo Matt.

—¿Y va a encontrar a Hank?

—Debería hacerlo si está en esos vídeos —dijo Ava—. A Hank y cien personas más, probablemente —masticó otra hormiga—. El programa captura imágenes estáticas de esos vídeos. Será más fácil seleccionar entre cientos de fotos que repasar los vídeos desde hace meses.

Joaquim volvió y señaló mi plato. Yo era el único que no había probado los insectos.

—¿Jack?

Cogí uno con el tenedor, cerré los ojos y lo mastiqué. Ava tenía razón. El sabor me recordaba a la comida tailandesa. La parte de atrás de la hormiga explotó en mi boca como una uva madura.

—Es verdad que tienen sabor a limón.

—¡Bien! Has probado mis hormigas —dijo nuestro anfitrión resplandeciendo de orgullo—. Ahora os traeré las hamburguesas y la pasta.

Tras engullir cada uno un bol de espaguetis seguido de unas deliciosas hamburguesas, Ava fue a la oficina a comprobar el resultado. Volvió con un trozo de papel en su mano y una sonrisa en su cara.

—Lo he encontrado —dijo dejando el papel impreso sobre la mesa.

Nuestros camareros regresaron con un postre a base de piña con un aspecto increíble. Pero debería esperar. Me incliné sobre el papel. La foto era algo borrosa, pero sin lugar a dudas se trataba de Hank. Estaba sentado a la mesa con dos chavales: un chico y una chica. El niño parecía de mi edad y tenía su pie izquierdo sobre la mesa envuelto en una especie de toalla. La chica podría ser de la edad de Matt, o quizá más joven. Sus ojos eran grandes, tenía la cara redonda, y su pelo era negro, liso y corto.

—¿Quiénes son? —pregunté.

—¿Y por qué Hank deja que ese niño coma con un pie en la mesa? —preguntó Matt—. A mí nunca me dejaría hacer algo así.

Con las manos sobre la cabeza y los ojos entrecerrados, Ava parecía confundida. ¿Y yo? Me sentía un poco engañado. ¿Qué estaba haciendo Hank con esos chicos? Se suponía que nosotros éramos... sus hijos no, pero sí los únicos chicos de su vida. Éramos como una familia. Se suponía que éramos especiales. Pero eso me hacía dudar. ¿Tendría otro grupo de chicos en Rusia? ¿Y en China? ¿Había una versión australiana de mí mismo? ¿Y acaso llevaba una pajarita con dibujos de bumerán?

Joaquim volvió a la mesa y señaló la foto.

—Vuestro amigo... ¿conoce a Pepedro?

—¿Quién es Pepedro? —preguntó Ava.

—El chico —contestó Joaquim—. Pepedro es el futuro de la *Seleção,* es el futuro de Brasil.

Me incliné hacia Ava.

—Es una estrella del fútbol —le expliqué—. A la selección de fútbol brasileña la llaman la *Seleção.*

—¿Y qué le pasa a su pie? —preguntó.

—¡Nada! —respondió Joaquim—. Su pie izquierdo es una maravilla. Puede marcar con su pie izquierdo desde cualquier parte del campo. Una vez le vi jugar en un pequeño campo de fútbol de un barrio. Le dio al balón tan fuerte, que rompió el cristal de la ventanilla a un camión que pasaba en ese momento. El conductor se enfadó mucho al principio, pero cuando vio que se trataba de Pepedro, dijo que había sido un honor, y que nunca arreglaría la ventanilla. Aquí Pepedro es más que una celebridad. Si tuviera que adivinar cuánto vale su pie izquierdo, diría que un millón de dólares.

—¿De verdad? —pregunté.

—En Brasil nos tomamos muy en serio el fútbol.

—¿Quién es la chica? —preguntó Ava señalando la foto.

—Alicia, su hermana mayor.

—¿Se acuerda de qué hablaban? —preguntó Matt—. ¿O por qué tenían ese encuentro?

—No —dijo Joaquim con las manos en alto—. Eso es asunto suyo, el mío es darles de comer.

—¿Y cómo podemos encontrarlos? —pregunté.

Joaquim cogió el papel.

—A vuestro amigo no lo sé. Pero con Pepedro y Alicia es distinto. Este chico no puede dar dos pasos por la calle sin que le sigan docenas de personas para pedirle un autógrafo, así que son celosos de su intimidad —Joaquim se levantó y volvió la cabeza mirando por encima de su hombro. Entonces esbozó una sonrisa—. Pero seguro que doña Maria os podrá ayudar.

—¿Quién es doña Maria?

El dueño del restaurante señaló con la cabeza hacia el centro de la sala.

—La que está sentada al lado del alcalde.

—¿Se dedica también a la política? —preguntó Matt.

—No. Es una mujer de negocios. Es la propietaria de muchas empresas y conoce a todo el que es importante en

Manaos. Hablaré con ella —dijo. Desde el otro lado de la mesa, me acercó el sorbete de piña—. Pero terminad vuestro postre.

El sorbete estaba delicioso y, mientras me llevaba varias cucharadas a la boca, me fijé en la señora mayor al otro lado de la sala. Tenía el pelo gris rizado recogido en un moño. Sus cejas parecían marcadas con un rotulador. Su barbilla era larga y un poco torcida, y me hubiera gustado que tuviera una verruga en la punta. Mejor tres verrugas, pero no vi ninguna.

Habíamos estado esperando diez minutos cuando Joaquim se acercó a su mesa. Se agachó a su lado con un gesto de respeto y, después de susurrarle algo señalándonos, le mostró la foto impresa. Doña Maria sacó unas pequeñas gafas de una funda brillante y se inclinó para observar la foto. Después se quitó las gafas y despidió al chef con un gesto desdeñoso de su mano.

—No parece que haya ido bien —dijo Ava.

Joaquim esquivó todas las mesas hasta la nuestra, devolvió el papel a Ava y deslizó una tarjeta de visita sobre el mantel blanco. Yo la cogí.

—Habéis tenido suerte. Me ha dicho que mañana a las nueve de la mañana vayáis a su fábrica y os intentará ayudar.

4

LA ABUELA DEL IPHONE

A LA MAÑANA SIGUIENTE, UNA LIMUSINA NEGRA se paró frente a los desgastados escalones de nuestro pequeño hotel. Caía una ligera lluvia y el coche era increíble, aunque tuviera algunas abolladuras. Matt se echó al hombro la mochila con su ordenador —acababa de coser a la bolsa un parche con el emblema de la NASA— y bajó deprisa los escalones. Habíamos pensado llamar a un taxi, pero este medio de transporte era mucho mejor.

—¿Seguro que es para nosotros? —pregunté.

La ventanilla del asiento delantero del coche se bajó y el conductor se inclinó hacia un lado haciéndonos una señal. Llevaba un polo naranja, aunque yo me esperaba que vistiera con traje negro, como suelen llevar los chóferes. Matt enseñó la tarjeta de visita y el conductor asintió.

—Ha debido de enviarlo doña Maria —dijo Matt.

Ava me dio un codazo.

—Para de sonreír, esto es serio.

Sí, ya lo sabía. Hank había desaparecido. Estábamos en un país extranjero. Pero nos íbamos a meter en una limusina. Y a mí me encantan las limusinas. En el interior, los asientos de cuero estaban desgastados y rotos por algunos lados. Las pantallas de televisión no funcionaban, pero a mí no me importaba. Me recosté en el asiento y estiré las piernas. Matt saltó sobre el asiento del copiloto y el conductor se lo quedó mirando durante cinco largos segundos. No necesitó decir nada. Mi hermano se desplazó hacia los asientos de atrás y se sentó frente a nosotros mientras el coche recorría las calles de Manaos, saltándose los semáforos en rojo y acelerando con los que estaban todavía en verde. Incluso nos subimos a la acera para adelantar a un camión de reparto que soltaba mucho humo.

La noche anterior, habíamos estado investigando en nuestra habitación del hotel y habíamos descubierto que visitaríamos una fábrica en un área de la ciudad llamada Zona Franca, eso significa que los negocios allí instalados no pagan impuestos. Aunque Manaos se conoce como la puerta de entrada a la selva amazónica, también es la capital de los aparatos electrónicos de América del Sur. Todos los *smartphones,* las *tablets* y los ordenadores portátiles de Brasil se montan en Manaos, y descubrimos que doña Maria no era solo dueña de unas cuantas empresas. Navegando por Internet, Ava descubrió que tenía por lo menos una docena. Pero una de ellas nos interesaba más que las otras. Doña Maria fue la primera persona en llevar *smartphones* a Sudamérica, y todavía sigue liderando este negocio en esa parte del continente.

En Brasil se la conocía como la abuela del iPhone.

Ava bostezó. Después de haber hecho los deberes sobre doña Maria, tomó prestado el ordenador de Matt y estuvo trabajando hasta pasada la medianoche. No entendí muy bien lo que hacía, pero tenía que ver con el satélite de Hank. Ava suponía que había estado navegando por encima de la selva cada poco tiempo, lo que no creía que fuera una coincidencia. Así que esperaba que el CubeSat nos podría dar información sobre la localización de Hank.

Desafortunadamente, todavía no había encontrado ninguna pista.

La fábrica de doña Maria era un edificio bajo de cemento tan ancho como un par de campos de fútbol y estaba rodeado por una verja oxidada. La puerta de entrada estaba abierta así que el coche entró hasta el edificio. Me había esperado guardas de seguridad armados o un helicóptero sobrevolando el terreno. Tampoco me habrían sorprendido ver algunos robots con metralletas. Pero no, cruzamos la entrada sin pararnos y entramos en la nave.

Un pasillo se extendía frente a nosotros. La luz era amarilla y muy tenue. El aire olía a polvo y metal. Las máquinas zumbaban, siseaban y pitaban a lo lejos. Un aire frío procedente de la climatización que salía del techo nos golpeó. En el centro de la entrada, doña Maria guardaba el equilibrio con un bastón de metal mientras nos esperaba.

—Llegáis tarde —nos dijo. Olía a humo de cigarro y su voz parecía más joven de lo que aparentaba, como si alguien de la edad de Min estuviera atrapado en una concha arrugada—. Llegáis tarde y no me gusta perder el tiempo. Seguidme si podéis.

Golpeó el bastón en el suelo tres veces. Quizá fuera por los golpes o por las arrugas de su cara. No sé por qué, pero me imaginé un terremoto extendiéndose por debajo del bastón. Una grieta en el suelo y la tierra tragándome. Miró el bastón y miró con desdén. Después volvió a golpear el suelo, esta vez más fuerte. Una luz verde de la empuñadura se iluminó. La mujer se dio la vuelta y adelantó el pie izquierdo. Entonces se flexionó como si se fuera a poner de rodillas. No sabía si iba a tirarse un pedo o a comenzar una carrera. Ninguno de nosotros es un atleta, pero suponía que podríamos ganar a una abuelita de setenta y tantos años.

Entonces salió corriendo.

Sí, era una carrera, pero no muy justa y no como la había esperado. Doña Maria se quedó parada en esa posición y salió disparada por la entrada como si la hubieran lanzado con un tirachinas. En la primera esquina redujo la velocidad, cogió una pértiga que estaba a su derecha, dio un giro y desapareció por el siguiente pasillo.

Una vez mi hermana había fabricado un *skate* con motor. Le puso el nombre de *Pedro,* y uno podía montar en él más o menos de esa forma: agachado y con los pies uno detrás

del otro. Pero *Pedro* chocó contra un montón de bolsas de basura, y mi pelo estuvo oliendo a perrito caliente durante una semana.

—¿Esconde bajo sus pies un *Pedro* en miniatura? —pregunté.

—*Pedro* no era tan rápido —dijo Ava mirándola fijamente—. Quizá tenga un motor en sus zapatos.

Matt se tocó la barbilla.

—Debe controlarlos con el bastón, pero ¿cómo?

—¿Por Bluetooth?

—Chicos, la vamos a perder, ¿podríais hablar mientras corremos? —intervine.

En la esquina no había ya ni rastro de doña Maria, pero un hombre con bata blanca señaló hacia su izquierda, donde una rampa conducía hacia el segundo piso. Tropecé y Matt se rio. Después fue él quien tropezó.

Gracias, Universo. Ava nos adelantó.

Al llegar a su oficina, estábamos jadeando. Doña Maria se encontraba detrás de una enorme mesa de madera. Enchufó un cable en una toma de corriente detrás de ella, y el otro extremo del cable en su bota derecha. Un cigarro muy grueso permanecía sobre un cenicero de plata en la mesa de despacho. Una docena de tarjetas de visita estaban alineadas en un extremo. Una placa de metal grabada se orientaba hacia la puerta. La señalé y leí todo lo que ponía despacio:

—Doña Maria Aparecida Oliveiros Dos Santos. A ustedes los brasileños les gusta tener muchos nombres.

—Un nombre es parte de la historia. También esta mesa, que perteneció a Don Pedro III —la mujer movió su mano por la superficie—. Él era un hombre grande que siempre se sentaba. Yo estoy de pie.

Los genios permanecieron callados. Pero yo recordaba ese nombre de los libros.

—Fue el emperador, ¿verdad? —pregunté.

—Sí, muy bien.

Con seguridad, di unos cuantos datos que recordaba de mis lecturas, finalizando mi parlamento con los más curiosos.

—Me parece que fue él quien introdujo los pollos en Brasil.

—¿Cómo? ¿Qué dices de pollos? Eso no es verdad —se chupó los labios como si quisiera quitarse el mal sabor de boca—. Enseñadme la fotografía.

Ava sacó de su mochila un papel doblado y yo me aproximé a las tarjetas de visita preguntando en voz baja si podía coger una. Doña Maria asintió y cogí una de cada montón. Matt se llevó la mano a la cara avergonzado. Cuando terminé, cogí mi libreta y garabateé unas cuantas cosas, incluido el nombre completo de la señora. También anoté que debía comprobar lo de los pollos. ¿De dónde había sacado yo esa idea?

Al otro extremo de la mesa, había un montón de entradas donde se leía Teatro Amazonas. La señora me dio un golpe en la mano cuando giré una entrada para ver lo que ponía por detrás.

—Son para la función inaugural en el teatro de la ópera. Tengo un palco privado al que viene gente importante. El alcalde será uno de mis invitados y quizá también el jefe de policía, que es amigo mío. Vendrán futbolistas y gente famosa —se encogió de hombros—. Los conozco a todos. Son buenos amigos.

—¿Podemos ir nosotros? —pregunté.

Soltó una carcajada histérica y comenzó a toser llevándose el puño a la boca. Matt se inclinó como para ayudarla, pero ella levantó la mano indicándole que esperara. Después señaló su cigarro.

—Nunca fuméis, amigos. Os matará.

Mi hermana deslizó la fotografía a través de la mesa y sacó mi teléfono de su bolsillo. Doña Maria miró una pantalla antes de echar un vistazo a la foto.

—Deberíais seguirme en Twitter —dijo. Sin levantar la vista señaló la puerta de su despacho, donde se veía el nombre de usuario de Twitter impreso en el cristal—. Tengo muchos seguidores —dijo dando la vuelta al papel con la foto impresa—. Bien, así que vosotros también estáis buscando al Dr. Witherspoon, ¿no?

Los tres nos miramos.

—¿Lo conoce? —preguntó Ava.

—Claro que lo conozco. Ya os lo he dicho antes, conozco a toda la gente importante de Manaos, incluso a los visitantes.

Mi hermana se inclinó hacia delante y puso los codos sobre la mesa de despacho de doña Maria.

—¿Sabe por qué está con estos niños en la foto?

—Ni siquiera le gustan los deportes —señalé.

Doña Maria miró los codos de Ava y mi hermana enseguida se reincorporó.

—Se me ocurre una razón —dijo la mujer devolviéndole la foto a Ava—. Pepedro no es solo un prodigio del balón. Son los hijos de unos buenos guías de la selva y han crecido dando vueltas por la Amazonia con sus padres. Conocen la selva igual de bien que ellos.

—¿Así que cree que sus padres guiaron a Hank por la selva?

—No. Hace dos años que sus padres murieron. Creo que quizá Pepedro y Alicia dieron algún consejo a vuestro amigo. Quizá le indicaron sitios para explorar, o quizá le guiaran ellos mismos. ¿No sabéis por qué zona de la selva puede estar?

—Tenemos una pequeña idea —dijo Ava.

—¿Una idea? —insistió doña Maria.

Ava movió la cabeza adelante y atrás.

—Sí, estoy cerca de saberlo.

Un suave pitido se oyó desde debajo de la mesa de despacho.

—¿Qué es eso? —pregunté.

—Mis botas —respondió doña Maria—. Se cargan rápido, pero también se descargan pronto —se apoyó con una mano sobre la mesa para mantener el equilibrio y con la otra cambió el cargador de una bota a la otra—. Es muy frustrante. Bueno, volvamos a vuestro amigo… ¿Lo va a averiguar pronto, jovencita?

Mi hermana comenzó a responder, pero yo la corté.

—A lo mejor, pero no sabemos mucho. Por eso necesitamos saber dónde encontrar a esos niños —dije.

—¿Habéis intentado contactar con el Dr. Witherspoon?

—Sí —respondió Matt—. Pero hace semanas que no responde a los *emails.*

—Ni siquiera responde a su novia —añadió Ava.

—No es su novia —dijo Matt—. Nos lo habría contado.

Doña Maria miraba a mi hermana.

—Así que no podéis contactar con él, y no sabéis dónde está, pero queréis encontrarlo.

—Exacto —dije.

—Es una locura —dijo la mujer. Mi hermana iba a contestar, pero doña Maria la apartó con la mano—. No, no me gustan las locuras. Os ayudaré.

—¿Cree que estos niños nos podrán llevar hasta él? —pregunté.

Doña Maria asintió.

—Sí, yo os puedo ayudar a encontrarlos, pero no sé si os podrán llevar hasta él. Mandaré un mensaje a Alicia, aunque no creo que conteste ahora mismo.

—¿Por qué no? —preguntó Matt.

—Porque hoy juega Pepedro un partido informal en el centro de la ciudad —Doña Maria cogió su teléfono, tecleó, cambió la pantalla y se la mostró a Ava—. Alicia ha tuiteado sobre el partido hace una hora.

—¿Dónde es? —preguntó Matt—. Deberíamos ir.

—No vais a poder hablar allí con ellos —respondió doña Maria—. Habrá demasiada gente. Pero si me dais el nombre de vuestro hotel, les diré que os contacten.

En condiciones normales, ese plan era razonable; pero Matt tenía razón cuando me lanzó el calcetín sudado a la cabeza el día anterior. No habíamos volado hasta Brasil para quedarnos sentados en nuestra habitación de hotel. Esperar no era una opción.

—Eso sería estupendo, pero vamos a ir de todas formas —dije—. Solo por si acaso, ¿le importaría darnos las señas del campo de fútbol?

La señora mayor se encogió de hombros y garabateó el nombre de las calles en una nota. Se la pasó a Ava y preguntó:

—¿Cuál es vuestro hotel? Si no dais con ellos, me gustaría contactar con vosotros.

—Hotel Magnífico —dije yo.

Hizo una mueca como si se hubiera clavado una aguja en un dedo.

—No me parece tan magnífico.

Mi hermano ya estaba dirigiéndose hacia la puerta.

—Intentaremos verlos antes de que empiece el partido —comentó.

Ava miró el papel con la dirección:

—¿Está muy lejos de aquí? Si salimos ahora, ¿llegaremos a tiempo?

—¿Ahora? No. Si queríais llegar a tiempo, deberíais haberos ido hace diez minutos.

Dar las gracias de una forma emocionada habría sido lo apropiado. Quizá le podríamos haber dado la mano, incluso podríamos haber hecho una reverencia. En vez de eso, los tres dijimos «gracias» por encima de los hombros mientras salíamos corriendo para coger la limusina.

5
EL CHICO CON EL PIE DE UN MILLÓN DE DÓLARES

OBVIAMENTE YO NO HABÍA NACIDO EN LOS tiempos de los Beatles o Elvis. Apenas había comenzado la escuela infantil cuando Bieber movía multitudes, pero supuse que la locura que rodeaba a Pepedro estaba próxima a aquella experiencia de las superestrellas. Mientras atravesábamos la ciudad, Ava buscó información sobre la joven estrella y descubrió que todavía no jugaba en ningún equipo. Aparecía en los partidillos amistosos y en los benéficos y se unía a cualquier equipo con jugadores mayores que él. Cada vez que entraba en el campo sorprendía a todos con su juego y precisión al chutar con su pie izquierdo. Había cientos de vídeos en YouTube y un montón de fotos y grabaciones subidas a las redes sociales. Así que no deberíamos habernos sorprendido cuando no pudimos ni acercarnos al campo de fútbol, que se encontraba rodeado por edificios y casas de dos plantas.

Por lo menos una docena de calles llevaban directamente hasta el campo de hierba, pero estas estaban llenas de fans tratando de ver jugar al joven prodigio. La gente se apostaba en las azoteas y en los balcones de las casas. Otros se subían a escaleras que habían apoyado sobre los edificios como si fueran gradas, y alguno incluso pilotaba un dron. También había tantos móviles como personas, aunque se usaban solo para grabar al jugador.

El coche casi no podía continuar más, había demasiado tráfico y demasiada gente. Nadie podía avanzar. Una mujer con una camiseta de fútbol a rayas negras y rojas se volvió hacia el coche sacudiendo su pelo. El chófer le dijo algo.

—¿No podemos ir por otra calle? —pregunté.

Ava tradujo mis palabras. El conductor se encogió de hombros, subió las manos y contestó en portugués.

—Dice que es inútil.

Dos hombres mayores masticando sus cigarros y apoyándose en sus bastones pasaron junto a nuestro coche. Un chico de la edad de Matt llevaba a un niño pequeño sobre los hombros y una pareja con camisetas de fútbol del mismo equipo y riñoneras iguales se unieron también al grupo. Muchos adolescentes se unían al resto de la gente con una pelota de fútbol entre sus pies y trabajadores con camisetas polvorientas de distintos equipos de fútbol se colocaban de puntillas para intentar tener mejores vistas. Un chico y una chica de más o menos mi edad se cruzaron con nuestro coche. El chico llevaba una camiseta con capucha. Sus pasos eran cortos y tenía la mirada clavada en el asfalto. Levanté la mirada y me erguí para poder verlos mejor. Una pelota de fútbol deshilachada rodaba por sus pies. La golpeó para seguir avanzando con ella, pero siempre rodando bajo su control. La chica le agarraba del codo y fruncía el ceño mientras trataba de abrirse paso por la multitud. Dio un golpe al capó de la limusina cuando nuestro coche comenzó a avanzar, y entrecerró los ojos al mirar por el parabrisas. Su cara era redondita y su pelo oscuro como el cielo de la noche. Alejó un poco al chico del coche y este no levantó la mirada del balón.

Nuestro conductor paró y se inclinó sobre el parabrisas. Entrecerró los ojos para observar mejor a la chica, y después cogió el teléfono para llamar a alguien. Murmuró algo y esperó. Los dos chicos giraron hacia la izquierda alejándose de la multitud y nuestro conductor los siguió.

—¿Por qué vamos por aquí? —preguntó Ava repitiendo la pregunta en portugués.

El conductor la ignoró. Ava se inclinó hacia la ventana mirando las azoteas de los edificios.

—¿Y si nos subimos a un tejado? Si tuviera a *Betsy,* todo sería más fácil.

—¿Y por qué no salimos del coche y empezamos a caminar? —sugirió Matt.

Yo seguí mirando al chico y a la chica.

—Hemos venido para hablar con Pepedro, no para verlo jugar —dijo Ava—. Seguro que ya está allí. Mejor esperamos e intentamos verlo después del partido.

La limusina se paró. La chica del pelo negro volvió la mirada al conductor. Después los dos chicos giraron de nuevo, retrocediendo y pasando por el lado de nuestro coche en dirección opuesta, hacia el río de aficionados que venía a ver el partido. Me tumbé sobre Ava para abrir la puerta. La chica casi choca con ella y la esquivó no sin antes mirar en el interior del coche. El chico seguía a su lado con la capucha vieja y desgastada puesta, pero sus botas de fútbol parecían nuevas. Los bultos en sus medias de fútbol revelaban que llevaba espinilleras. Se paró con el pie sobre la desgastada pelota de fútbol.

Su pie izquierdo.

—¿Os llevamos a algún sitio?

El chico miró a la chica. Obviamente era ella la que tomaba las decisiones. Mi hermano me tiró de la manga.

—Jack, pero ¿qué…? —se paró para observar a los chicos y a la pelota—. ¿Ese es Pepedro? —preguntó con un susurro.

Durante un segundo saboreé mi pequeño logro. Había estado un paso por delante de Matt. Quizá medio paso por delante de Ava, y merecía disfrutar del momento. Como la última cucharada de aquel sorbete de piña, quería que permaneciera en mi paladar un rato más. La chica empezó a cerrar la puerta y continuó su camino.

—Sí, Matt —respondí—. Son Pepedro y su hermana. Ava, ¿puedes traducir? Diles que, por favor, entren unos minutos.

Alicia movió un dedo y dijo:

—Entiendo vuestro idioma, pero lo que no entiendo es por qué quieres que entremos en tu limusina.

Dos hombres fornidos con camisetas verdes y amarillas se abrieron camino a empujones junto a los chicos.

—Por dos razones: aquí se está más tranquilo sin tanta gente.

—¿Y la otra?

—Somos amigos de Henry Witherspoon —añadió Matt.

La chica echó hacia atrás la cabeza. Una mujer de anchas caderas que movía mucho los codos al andar casi chocó con Pepedro. Otro grupo de hombres pasó caminando mientras cantaban. Cada vez más gente se dirigía hacia el terreno de juego. La música retumbaba y una botella de cerveza se estrelló contra el suelo detrás de los hermanos. Pero la niña insistía en cerrar la puerta.

Entonces, la mujer que casi tiró a Pepedro se dio la vuelta. Se llevó las manos a la cara y señaló al chaval cuyo pie valía un millón de dólares. Un hombre que estaba a su lado reconoció a la estrella del fútbol y comenzó a correr hacia él con un rotulador y un trozo de papel. La mujer agarró el rotulador y se tiró de la camiseta para que Pepedro se la firmara. La locura se contagió. De repente, todo el mundo se aproximaba hacia la limusina sujetando sus teléfonos y rogando por una foto con la estrella.

Alicia abrió bien la puerta del coche y empujó a su hermano para que entrara mientras el conductor comenzaba a alejarse de la multitud. Se volvió para mirar por la luna trasera. Creo que aquel tipo podría haber conducido mejor hacia atrás.

El chico del pie de un millón de dólares respiró profundamente cuando él y su hermana se acomodaron en los rotos asientos de cuero. Matt se cambió de lugar para sentarse entre Ava y yo, y la chica dijo algo al chófer en portugués.

—¿Le estás diciendo que nos vayamos de aquí? —preguntó Ava.

—¿Y no se van a enfadar los de su equipo? —pregunté.

La muchacha suspiró mientras veía la multitud a través de la ventanilla.

—Es solo un amistoso, mi hermano no está dejando plantados a sus compañeros. Quizá a la gente, pero no pasa nada, este sitio no es seguro para él. Es como en São Paulo, o peor.

En el avión leí un poco acerca de São Paulo, una ciudad de veinte millones de habitantes que había crecido descontroladamente.

—¿Qué pasó en São Paulo?

—Aquello fue una locura —dijo Pepedro—. La multitud comenzó a agolparse en el terreno de juego.

—En la cancha —dijo Matt—. En Estados Unidos decimos la cancha.

—Pero no estás en Estados Unidos —le corrigió Alicia—. Estás en Brasil.

Me reí y Pepedro también. Su sonrisa se desvaneció cuando siguió recordando lo sucedido.

—Tuvimos que escabullirnos a rastras, como los animales por los arbustos. Igual que un pecarí, un cerdito.

—¡Qué horror!

Alicia se encogió de hombros.

—Sí, pero sobrevivimos. Yo soy Alicia y él es Pepedro. Pero ya lo sabíais. ¿Sois familia de Hank? —nos preguntó.

Esperé a que Matt contestara. O Ava. Pero ninguno dijo nada. Entonces empecé a decir:

—Bueno, pues…

—Más o menos —concluyó Matt.

Ava se echó hacia delante en su asiento.

—¿Alguna vez dijo Hank que somos su familia?

—Quizá no lo entendí bien —dijo Alicia—. A veces nos enseñó fotos en las que salía él con vosotros —entonces me señaló—. ¿Dónde tienes tu lazo?

—¿La pajarita? Pues…

—¿Por qué estáis aquí? —preguntó Alicia—. ¿Habéis venido para ver jugar a mi hermano?

—No —respondió Ava.

Algún día espero enseñar a mi hermana que la verdad a secas a veces no es la mejor estrategia.

—En realidad, sí. Nos encanta el fútbol. Mi hermana estaba bromeando. Hemos oído cosas maravillosas sobre tu pie izquierdo, Pepedro. Pero tenemos que haceros unas preguntas.

Alicia se cruzó de piernas y preguntó:

—¿Ah, sí?

—¿Os contrató Hank como guías? —soltó Ava sin pensarlo dos veces.

—Sí —respondió Pepedro.

—¿Adónde quería que lo llevarais?

—A la selva.

—No, ya —interrumpió Ava—. Pero ¿a qué lugar exactamente y por qué?

—¿Y qué es lo que estaba buscando? —se inclinó hacia ellos Matt.

—¿Por qué no se lo preguntáis vosotros?

—Hace tres semanas que no sabemos nada de él —expliqué—. Nos preocupa que esté en peligro.

—Sí —dijo Alicia—. Puede que lo esté.

—Necesitamos saberlo todo —insistió Ava.

La limusina se había alejado de la multitud y nuestro conductor hablaba tranquilamente por teléfono. Alicia le dijo algo girándose hacia atrás mientras su hermano se quitaba las espinilleras y se desataba sus botas de fútbol, cambiándolas por un par de zapatillas de deporte. El conductor dejó el teléfono sobre su soporte en el salpicadero del coche y se dirigió hacia una calle poco transitada.

Alicia miró por la ventanilla hacia los edificios.

—¿Sabéis lo que yo hago? Mi hermano pega patadas a un balón. Y lo hace tan bien que hay gente que ya nos ha ofrecido millones de dólares para que juegue en sus equipos de fútbol cuando sea mayor.

—Pero si solo tienes doce años —comentó Ava.

—Trece —puntualizó Pepedro—. Pero eso da igual. Si juegas bien, te pagan ahora para que después no juegues en otro equipo.

De su mochila, Alicia sacó un vendaje verde y se lo pasó a Pepedro para que levantara su pie. Se giró un poco e hizo reposar su pie izquierdo sobre el asiento entre ellos y comenzó a vendarse justo sobre su zapatilla.

—Yo, en realidad, creo que es una locura —continuó Alicia—. Millones de dólares por jugar bien, por *o jogo bonito.* Es ridículo. A Pepedro también le parece una tontería.

La expresión de duda en su cara expresaba que no estaba del todo de acuerdo.

—Es ridículo —dijo Ava.

—Absurdo —añadió Matt—. Jóvenes científicos apenas pueden pagar el alquiler de su casa.

—Bueno, yo pienso que es genial que la gente te quiera pagar millones de dólares por dar patadas a un balón —dije.

Pepedro sonrió y Alicia asintió.

—Sí, quizá. ¡Y deberíamos dejar que lo hagan! Pero… —subió su dedo índice como una profesora durante lo que me pareció demasiado tiempo—. Debemos estar seguros de que ningún equipo ni nadie se aproveche de él. Ese es mi papel. Reviso los contratos y no he encontrado ningún acuerdo que sea beneficioso para mi hermano.

—Alicia es mi agente —dijo Pepedro.

Terminó de vendar su pie, dio una palmada sobre él y se echó hacia atrás.

—Por eso le protegemos, a él y a su pie, que vale millones de dólares. Incluso más… Esos equipos que lo quieren fichar… nos pagarían ahora, pero después estaríamos atados a ellos para siempre. Pepedro no podría elegir. No solo queremos dinero, también queremos libertad, así que esperaremos.

La limusina estaba acelerando y el conductor miraba por el espejo retrovisor. Alicia abrió una pequeña nevera y cogió unas latas frías de refresco. ¿Por qué no había pensado yo en eso antes? Las latas eran rojas, verdes y amarillas. Llamó al conductor y nos pasó a todos una de las latas.

—Es guaraná. El refresco típico de Brasil. Es delicioso.

—Es como *ginger-ale* —comentó Matt después de dar un sorbo.

—No. Es guaraná —insistió Alicia.

Mi hermana sujetaba la lata fría sin abrir con ambas manos.

—Hablabais de dinero y libertad. ¿Y eso qué tiene que ver con Hank?

—Todo.

—¿Todo?

—Bueno, quizá todo no. A veces el no decidirte a firmar un contrato puede ser doloroso. A veces necesitamos dinero. Así que, cuando vuestro amigo Hank nos quiso contratar para que le lleváramos a la selva, aceptamos.

—¿Y no había más guías? —preguntó Ava.

—Hay muchos guías —intervino Pepedro—. Pero no conocen lo que nosotros conocemos.

—¿Y qué es lo que conocéis que es tan especial?

—Sabemos dónde encontrar anguilas gigantes.

6
APESTADO

MIENTRAS ALICIA Y SU HERMANO NOS contaban su historia, la limusina circulaba por calles arboladas. Sus padres fueron guías de la selva amazónica muy experimentados, y unos años atrás habían hecho un importante descubrimiento: una especie de anguila eléctrica más potente y más grande que las que se conocían. Por supuesto, mi hermano sabía el nombre en latín: *Electrophorus electricus magnus*. Y también el nombre del científico al que se otorgaba el descubrimiento.

—Mis padres llevaron a ese científico por la selva para que las estudiara —explicó Pepedro.

—Y en su artículo científico apenas los mencionó —añadió Alicia.

—Eso es injusto.

—Sí, bueno. A mis padres no les importó. Pasaron unos años, y entonces vuestro amigo Hank leyó el ensayo del científico sobre las anguilas. Quería venir a Brasil para estudiar él mismo esas criaturas, así que el científico les dijo que contactara con nuestros padres. Pero había un problema.

—Que habían muerto.

—¡Jack!

—Lo siento. Doña Maria nos ha dicho...

—No te preocupes. Sí, habían muerto. Nuestra madre murió por culpa de una rana venenosa y a mi padre se lo comieron las pirañas.

Los tres guardamos silencio. Creo que me quedé con la boca abierta. Pasaron unos segundos. Alicia torció extrañamente el gesto, como si se estuviera aguantando de algo.

—Espera, ¿fue así como ocurrió?

La chica se empezó a reír.

—¡No! Fue en un accidente de coche.

—Lo siento —dijo Pepedro—. Mi hermana se cree muy graciosa.

—Soy graciosa —entonces se dirigió hacia Ava—. ¿A que soy graciosa?

Mi hermana hizo un gesto de dolor.

—Es humor negro —dijo Matt.

—Las ranas hacen que sea una anécdota un poco más graciosa —añadí—. Las ranas y las cabras.

Entonces los brasileños se quedaron callados. A veces me gustaría que hubiera un guardia entre mi cerebro y mi boca. Una personita que escuchara mis ideas y decidiera si mi boca debería pronunciarlas o no. Tendría mucho trabajo, sujetando constantemente mis pensamientos y echándolos de vuelta a mi cerebro, al cubo de basura. Esa personita probablemente tendría una larga barba. Podría llevar un mono de trabajo y tocaría la armónica mientras trabajaba.

—Vale. Entonces Hank se encuentra con vosotros y os pide que le ayudéis a encontrar las anguilas… —resumió Matt.

—Escribió un correo nuestros padres —explicó Alicia—. Seguimos conservando la dirección de correo electrónico de su negocio como guías. Y le dijimos que nos podría encontrar en un restaurante de Manaos.

—Saudade —añadí.

—Sí. ¿Cómo sabíais eso?

Quería contarles lo de la caja de cerillas y el porqué los genios no sabían el motivo por el cual la guardaba en el cuarto de baño. Pero, en lugar de eso, señalé a Ava.

—Lo descubrió ella. El caso es que os encontrasteis con él. ¿Y entonces?

—Se quedó sorprendido al encontrarse con gente tan joven —dijo Alicia—. Pero después comentó algo de chicos jóvenes con mucho talento —mi hermano se sonrojó—. Acordamos lo que nos pagaría por encontrar las anguilas. Salimos unos días más tarde y viajamos río abajo. Encontramos unas anguilas preciosas. Muy grandes. Enormes terrenos electrificados. Vuestro amigo Hank llevó un montón de aparatos para estudiarlas. Todo transcurría bastante bien.

—¿Hasta que…?

—Hasta que nos dimos cuenta de que no estábamos solos —añadió Alicia.

—Un grupo de exploradores de una empresa maderera estaba caminando por la misma zona de la selva, marcando los árboles que querían talar.

—Pero eso es ilegal, ¿verdad? —preguntó Matt—. No está permitido talar árboles en plena selva.

—Sí —afirmó Pepedro—. Aunque también es muy fácil saltarse la ley. Los madereros pueden arrasar gran parte de la selva antes de que nadie se dé cuenta.

El conductor dejó atrás las calles tranquilas y se dirigió hacia una avenida llena de gente. Alicia se acercó a la ventanilla para leer los letreros de las calles. Después entrecerró los ojos y se puso derecha.

—Vuestro amigo Hank estaba furioso. Les gritaba sobre los sumideros de carbono. ¡Y ellos llevaban armas!

—A propósito. ¿Qué son los sumideros de carbono? —preguntó Pepedro.

—Demasiado dióxido de carbono en la atmósfera atrapa el calor, lo que hace que el planeta se recaliente —explicó Ava deprisa.

—El cambio climático —dijo Pepedro.

—Exacto —contestó Ava—. Los árboles de la Amazonia atrapan el carbono del aire y ayudan a luchar contra el calentamiento.

—Y como la selva almacena mucho carbono —añadió Matt—, eso significa que, si talas árboles, las bacterias y otros organismos microscópicos atacan la madera y liberan ese dióxido de carbono al aire.

—Volvamos a los madereros —dije—. ¿Lo secuestraron?

Alicia dio un sorbo a su refresco antes de contestar:

—¿Secuestrarlo? No, no, no. Nos dejaron ir, pero nos avisaron de que nos dispararían si volvíamos.

—Pero él volvió, ¿verdad? —preguntó Matt.

—Sí —contestó Alicia—. Tenía una especie de plan para utilizar los satélites y salvar la selva.

Inmediatamente me imaginé un ejército de pequeños satélites flotando en el espacio, localizando a los madereros furtivos y lanzando rayos láser contra las sierras mecánicas. Los rayos serían azules. O quizá verdes, porque los lanzaban los buenos. ¿Acaso eso funcionaría? ¿Podrían lanzar rayos láser los satélites? Afortunadamente, el hombrecito de la armónica me detuvo antes de que sugiriera esa posibilidad.

—¿Cuántas veces regresó? —preguntó Ava.

—Esta última vez fue la cuarta —respondió Alicia—. Esa vez no lo acompañamos. No quería que corriéramos peligro, así que insistió en ir solo. Cada vez que venía a Brasil, nos invitaba a una buena cena. Le encantaban los filetes.

—Le encantan —corrigió Ava—. Pero es vegetariano.

—Pues ya no —dijo Pepedro.

Mi hermana frunció el ceño. Daba la sensación de que lo conocían mejor que nosotros. A mi hermana no le hacía mucha gracia y a mí tampoco.

Nos quedamos callados un minuto. Las piezas del puzle no parecían encajar. Terminé mi bebida, eché hacia atrás la cabeza e incliné la lata esperando que cayeran unas gotas más. Cuando terminé, vi que Pepedro me sonreía. Esos muchachos brasileños estaban muy orgullosos de su refresco.

El tráfico se estaba haciendo más denso. Había ahora además un poco de niebla y ello hacía más difícil nuestra visión. Alicia bajó la ventanilla intentando ver los letreros de las calles y dijo algo al conductor en portugués antes de explicarnos que no sabía por qué camino íbamos.

—Tenéis que llevarnos —ordenó Matt.

—¿Adónde? —preguntó Alicia.

—A la selva. Tenemos que encontrar a Hank.

Alicia se recostó sobre el asiento y sonrió.

—Está bien.

—Entonces, ¿nos llevaríais? —preguntó Ava.

—Quizá. Aunque tenemos que negociarlo. Así practicamos un poco antes de decidir con qué equipo va a fichar mi hermano en unos cuantos años —se cruzó de brazos y preguntó—: ¿Cuánto nos pagaríais?

—Lo que sea —respondió Ava.

—Bueno, tampoco es eso —dijo Matt.

—Alicia, no creo que este sea el momento de practicar —dijo Pepedro.

—¿Cuánto? —preguntó Ava.

En voz baja, Alicia dijo una cifra.

—En reales, la moneda brasileña.

—Ava cerró los ojos mientras convertía la cifra en dólares americanos.

Murmuró la cifra y concluyó:

—Es mucho dinero, pero vale.

—Tenía que haber pedido más dinero —dijo Alicia.

—No, eso es bastante —apuntó Matt—. En realidad, es mucho dinero.

—Matt, estamos hablando de Hank.

Ava tenía razón. ¿Cuál era el problema?

—Matt, una cosa eran los aviones y el hotel. Pero ahora no deberíamos preocuparnos por el dinero, esto es demasiado importante.

—Esa es nuestra tarifa —insistió Alicia.

—No podemos contratarlos —murmuró mi hermano mirando hacia el suelo.

No sabía por qué se estaba poniendo tan cabezota.

—Pero debemos hacerlo —insistí.

—No podemos, ¿vale? No tenemos más dinero.

—Por aquí debe de haber un cajero automático…

—No. No lo entendéis —continuó Matt.

—Este no es el momento para ser tacaños —insistió Ava.

—Estoy de acuerdo —sonrió Matt de forma incómoda—. Pero es que… nosotros… —su voz parecía apagada.

—Nosotros ¿qué? ¿De qué hablas? —pregunté.

Finalmente, mi hermano balbució la verdad:

—Que no tenemos dinero —suspiró—. Bueno, ya está, así mejor. No sabéis lo que me ha costado no contároslo.

—Pero, Matt, ¿de qué hablas? —preguntó Ava mirándolo fijamente.

—Como mucho, tenemos veinte pavos en el banco. Quizá un poco menos si Jack no canceló su suscripción al Club de los Presumidos.

—¿Al qué? —preguntó Alicia.

—Nada, nada —contesté.

Y realmente no era nada, considerando que por mi suscripción mensual al Club de los Presumidos me enviaban una pajarita nueva o un par de calcetines coloridos cada mes. Aunque hubiera cancelado mi suscripción, veinte pavos no nos iban a ayudar a contratar un guía. Ni un guía para pasear por la calle, y mucho menos para guiarnos por la selva.

La limusina aceleró y frenó de golpe porque otros coches habían parado. Estiré el pie para impedir que me cayera sobre el regazo de Pepedro tras el frenazo. Habría sido un poco raro y deseé que el conductor diera marcha atrás de nuevo.

—¿Y las tarjetas de crédito? —preguntó Ava.

—Exprimidas del todo. No podemos sacar más dinero.

—Un momento, reinicia. ¿Cómo hemos llegado a esta situación?

Matt lo explicó. Básicamente, todos nuestros ingresos proceden de las ventas del libro *Los huérfanos solitarios.* Hablé con Hank por si nos podía dar una pequeña paga por ayudarle en el laboratorio, de nada hermanitos, y unos cuantos dólares proceden de vez en cuando de los anuncios de mi vídeo de YouTube. Pero nuestros mayores ingresos procedían de la venta de libros, y esta ha caído en picado. Y no solo eso, nuestros gastos han ido aumentando. El alquiler de nuestro apartamento ha subido. Ava siempre necesita nuevos utensilios para sus proyectos. Matt se ha comprado un telescopio nuevo y un ordenador portátil superpotente que rápidamente se ha transformado en su objeto preferido. Y uno de nosotros, por cierto, tiene un gusto exquisito por el calzado deportivo. ¿Quinientos dólares no son demasiado por unas zapatillas de baloncesto que se usan en los partidos de la NBA? No, por supuesto que no.

Bueno, pues Matt fue detallando cómo el dinero había ido desapareciendo de nuestra cuenta corriente mientras que nuestros ingresos solo goteaban en ella. Él había hecho todo lo posible para que no fuera así, incluso escribió una secuela de *Los huérfanos solitarios*, pero el original fue rechazado por treinta editores diferentes. Parecía que la gente estaba cansada de versos sobre huérfanos. Matt dijo que lo que se llevaba ahora eran las poesías de gatos.

Alicia interrumpió la conversación:

—¿Son los gatos los que escriben los poemas?

—¿Eh? No, ¿cómo van a escribirlos los gatos?

—¿Con las pezuñas? —sugerí—. Podrían tener un boli especial.

—El caso es que el mes próximo no podremos pagar el alquiler —miró entonces a Alicia y Pepedro—. Así que no podemos contratar a un guía, aunque vosotros sois nuestra única esperanza.

—Sin ellos es imposible dar con él. La selva es demasiado grande, nunca lo encontraremos.

—Aunque si buscamos las anguilas, podremos encontrar a Hank —puntualicé.

—Las anguilas se extienden por miles de kilómetros cuadrados, una superficie mayor que algunos de vuestros estados. Aunque os ayudáramos, no lo encontraríamos.

Mientras miraba por la ventanilla, Alicia levantó un dedo y se volvió para mirar hacia delante.

—Un momento. No sé por dónde vamos.

El coche aminoró la marcha y giró. Mi hermana entrecerró los ojos. Se aproximó a la ventanilla para mirar alguna señal de la calle en la siguiente esquina. Alicia preguntó algo en portugués al conductor y este se encogió de hombros al contestar.

—Habéis dicho que alguien os había mandado este coche. ¿Quién?

—Doña Maria —contesté.

—¿Estáis seguros?

No. No lo estábamos. Mis hermanos tampoco parecían convencidos.

—Bueno… suponemos…

—Un momento —susurró Ava—. No pudo haber sido doña Maria. Hasta esta mañana, ella no sabía dónde nos alojábamos, ¿no? Antes de salir, nos dijo que le facilitáramos nuestra dirección.

—¿Y quién nos ha pedido esta limusina?

—Le preguntaré —dijo Pepedro, que habló al conductor en portugués.

La ventanilla que dividía la parte de los pasajeros con el conductor se subió, alguien echó los seguros de las puertas, el coche se alejó del tráfico y aceleró mientras la lluvia caía con fuerza.

Alicia golpeó el cristal que nos separaba del chófer. Matt avanzó hacia este y también lo golpeó, pero el conductor no se inmutó. Ava intentó abrir la puerta, pero no lo consiguió.

—¿Qué sucede? —pregunté—. ¿Qué está haciendo?

Pepedro se mostró muy tranquilo antes de contestar, como si estuviéramos comiendo unos bocadillos:

—Creo que nos han secuestrado.

Hice que Matt retrocediera y dejara de golpear el cristal. Se iba a romper la mano. Sobre su hombro vi el teléfono en el salpicadero. La pantalla estaba encendida. El icono blanco de un teléfono brillaba sobre el fondo y señalé:

—El teléfono tiene el altavoz puesto. Alguien nos ha estado escuchando hablar todo el rato.

—¿Quién? —preguntó Ava.

No teníamos ni idea. Y ninguno de nosotros sabía cómo salir de aquel coche. Mi hermana empezó a revolver dentro de su mochila, intentando encontrar algo que nos pudiera ayudar a salir de allí. Matt hizo lo mismo, escarbando en la funda de su ordenador. Pero hacer un programa de ordenador o escribir un *email* no nos iba a salvar en esos momentos. Yo también rebusqué deprisa dentro de mi mochila. Tenía unos libros sobre Brasil, mi libreta, una barrita de cereales, unos panecillos de queso envueltos en una servilleta y el Quitaolores. Tomé el instrumento en mis manos. Hasta entonces lo había usado diez o doce veces y no había vaciado su contenido. Miles o millones de partículas provenientes de la laca de la señora del avión y mis propias *pedopartículas* estaban encerradas en ese tubo.

Como he aprendido de Hank, los mejores inventos a veces tienen usos inesperados. El automóvil, por ejemplo, fue concebido como una especie de lavadora. Más tarde los ingenieros se dieron cuenta de que podría trasladar también a la gente. Bueno, quizá eso no era realmente así, pero es que no me acuerdo del ejemplo que me dio Hank. De todas formas, nunca pensé que el Quitaolores pudiera ser un arma de defensa personal. Pero estábamos desesperados.

Detrás del chico cuyo pie valía un millón de dólares, había una pequeña compuerta del tamaño de una tarjeta de crédito para poder pasar dinero entre el conductor y los pasajeros. Colándome entre Pepedro y Alicia, puse el tubo en esa apertura y presioné el botón para liberar su gas.

El Quitaolores disparó su nauseabundo contenido. El hedor se extendió por la parte delantera del coche. Solo pasaron unos segundos hasta que mis *pedopartículas* llegaron hasta las narices del conductor. Este tosió, tuvo arcadas y se inclinó hacia delante como si fuera a vomitar. La limusina viró de repente. Dejé el Quitaolores sobre el asiento delantero y el conductor dio un frenazo. Trató de abrir la puerta, pero él mismo había echado el seguro. Rápidamente empezó a tocar botones, quitó el seguro de la puerta y salió a trompicones hacia la calle, intentando respirar mientras la lluvia caía sobre él.

Abrí una puerta trasera. Esa cosa insalubre había dejado escapar todos los olores. Alicia fue la primera en salir y los demás la seguimos deprisa. Con las manos sobre sus rodillas intentando tomar aire, el conductor gritó algo en portugués.

El Quitaolores seguía en el asiento delantero. Intenté recuperarlo, pero Matt me agarró del brazo.

—Déjalo, Jack.

—¡Corred! —exclamó Alicia—. ¡Corred!

Un pequeño agujero se abrió en mi corazón al pensar que abandonaba mi valioso recogepedos en aquel coche, después además de habernos salvado la vida. Pero también corrí. Los cinco pasamos por delante de dos restaurantes y de un bar de zumos. La lluvia caía con fuerza, parecía que nos atacaban con cientos de pequeños globos de agua. Intentábamos correr deprisa. Los baches y los charcos de la acera hacían que fuera una carrera de obstáculos. Alicia iba primero seguida de Ava y de Matt. Pepedro estaba a mi lado quitando la venda de su pie mientras corríamos.

Entonces se paró de golpe.

—¡Corre! —grité—. Nos va a alcanzar.

El conductor se encontraba a diez o quince coches de distancia y Pepedro se dio la vuelta para hacerle frente. El conductor fue más despacio, sacudiéndose el agua de su frente. Su polo naranja estaba totalmente empapado. Alicia llamaba a su hermano y Matt y Ava gritaban. Pero Pepedro no se movía. Con su pie derecho, intentaba girar un trozo de adoquín del tamaño de una pelota de béisbol. Su cabeza permanecía inclinada a un lado con la lluvia empapándole igual que a todos, pero él restaba inmutable. El conductor avanzaba despacio con pasos mecánicos. Yo quería volverme y salir corriendo desesperado. Pero, todavía más, deseaba ver qué es lo que haría Pepedro.

El conductor comenzó a correr hacia él salpicando con cada paso. Pepedro se inclinó, alzó la piedra con su pie izquierdo, esperó a que bajara hasta su rodilla y le dio una patada. Su pierna se movió a la velocidad del rayo. Y la piedra voló por encima de los coches hasta hacer una curva a la derecha y dar en la cabeza del conductor.

El hombre cayó sobre sus rodillas y terminó de bruces sobre un charco. El niño con el pie de un millón de dólares puso la mano sobre mi hombro.

—Lo haremos gratis —dijo Pepedro—. Os llevaremos a la selva y encontraremos a vuestro amigo.

7
EL VON HUMBOLDT

A LA MAÑANA SIGUIENTE, CAMINAMOS DE forma fatigada bajo una lluvia ligera pero persistente hacia el puerto de Manaos. Imponentes cruceros estaban amarrados en la distancia. Grúas altas atrapaban contenedores enormes y oxidados y los amontonaban en la cubierta de los barcos, que parecían edificios de apartamentos flotantes. Cada uno de nosotros llevaba una mochila llena hasta los topes de material para acampar, incluyendo equipo para la lluvia, cuerdas, hamacas y toda clase de comida deshidratada, cuencos y cubiertos de plástico. Mi hermana insistió en traer a *Betsy*, y Matt encontró un modo de meter su ordenador a duras penas. No me molesté en preguntar para qué quería un ordenador en la selva.

La caminata fue dura porque apenas habíamos dormido. Después de que casi nos secuestraran, y como pensamos que en el hotel no estaríamos seguros, cogimos nuestras bolsas y dormimos en casa de Alicia y Pepedro, que vivían en una casa de una sola habitación en un vecindario superpoblado llamado «favela». Sus sillas eran cajas de leche hechas de plástico. Las cortinas de las ventanas eran viejas camisetas de fútbol. Y nada de camas. Aquel sitio solo tenía dos pequeños catres. Pepedro insistió en dejar que Ava utilizara el suyo, pero ella se negó. Por lo que fui yo quien se acostó en él, siendo una de las peores noches de mi vida. Tendría que haber dormido sobre la esterilla como los demás.

¿La mejor noticia? No solo no teníamos que pagar a nuestros guías, sino que doña Maria nos había regalado el viaje río abajo. Como había prometido, había mandado unos cuantos mensajes a Alicia y, finalmente, nuestra amiga había llamado a la abuela del iPhone para comentarle nuestra situación. La anciana lo sintió tanto que nos preguntó cómo podía ayudarnos. Alicia le explicó entonces que necesitábamos un barco que nos llevara a la selva, y pasados solo treinta minutos, doña Maria lo había previsto todo.

Alicia nos llevó por debajo de las grúas hasta un barco enorme. Aprisionado entre dos petroleros, un barco largo y estrecho estaba amarrado al muelle. Junto a los edificios flotantes, parecía como si un rayo lo hubiera encogido. Pero era muy bonito. La popa y la proa estaban al descubierto con bancos de madera bien pulidos y alineados, y una gran cabina se elevaba en el centro, con un montón de instrumentos en el techo. Nos detuvimos a unos metros de distancia.

—Ese es nuestro barco —dijo Alicia—. El Von Humboldt.

—Parece nuevo —señaló Matt.

—¿Y dónde está el capitán? —preguntó Ava.

Nos acercamos y llamé:

—¡Ah del barco!

Ava me lanzó una mirada asesina:

—Pero ¿qué dices, Jack?

—¿Qué pasa? Siempre había querido decir eso.

Un hombre salió deprisa de la cabina. Era de la estatura de Matt y vestía ropa deportiva con pantalones cortos morados. Su espalda era más ancha de lo normal, y su mandíbula, fuerte y cubierta de una ligera barba. Llevaba el pelo corto en ambos lados y grasiento en el centro.

—¡Bienvenidos! ¡Salud!

Matt me miró. Doña Maria no nos había dicho que el capitán fuera extranjero. Habíamos supuesto que iba a ser brasileño. Pero no parecía ni americano ni inglés.

—¿Es usted Bobby? —preguntó Alicia.

—Sí, mozuela. Soy el capitán Bobby.

—Por su acento... —dijo Ava—. ¿Es usted irlandés? ¿O escocés?

—¡Un poco de cada! Bienvenidos a bordo del Von Humbert.

—Querrá decir Von Humboldt, ¿no?

—Sí, eso. Bien, venga, vamos. Dejad vuestras pertenencias escaleras abajo. El camarote de delante es mío. Podéis alojaros en los de atrás.

—¿No querrá decir los de popa? —preguntó Matt.

—¿Popa?

—Sí, ya sabe. Términos náuticos. En la proa en lugar de delante, y en la popa en lugar de la parte de atrás; bajo cubierta, en lugar de escaleras abajo. Estribor, babor. Letrinas en lugar de baño…

El capitán Bobby observó a Matt unos segundos e ignoró sus comentarios por completo.

—Nos vamos en cinco minutos. No tenemos por qué esperar, doña Maria no me dijo adónde ibais.

—Hacia el este —respondió Ava.

—De acuerdo —respondió Bobby—. ¿Por qué no os acomodáis en vuestros camarotes?

Subimos por una pequeña escalera hasta una estrecha cocina. La única letrina de la embarcación estaba junto al fregadero de la cocina. En la popa, nuestros camarotes eran del tamaño adecuado para los pitufos, y para nosotros cinco solo había cuatro literas. Matt se dio un golpe en la cabeza contra un travesaño, y cuando logró acomodarse retorciéndose en uno de los catres, no pudo estirar las piernas.

—Creo que dormiré en la cubierta —dijo.

Los motores comenzaron a traquetear mientras estábamos bajo la cubierta. El barco fue dando un bandazo marcha atrás y después se paró. Con el frenazo, tropecé y caí sobre mi hermano. Tuve que taparme la nariz. Sus axilas necesitaban un Quitaolores.

—¿Qué pasa? Me he puesto desodorante.

—Pues ponte más.

El barco avanzó y paró de nuevo.

—¿Qué está haciendo? —preguntó Pepedro.

Corrimos hacia la cubierta. Ava me echó a un lado y saltó hacia fuera del barco. ¿Acaso se estaba largando ya?

—Ava, quédate —le dijo Matt.

Estaba de cuclillas junto a una enorme bita de metal en el muelle de cemento.

—No me voy. Estoy quitando amarras —dijo Ava sujetando una gruesa cuerda.

Frente al timón, el capitán abrió una ventanilla y se asomó:

—Buen trabajo. Os estaba probando y has superado la prueba.

Normalmente, un piropo como aquel habría provocado una sonrisa, pero la cara de Ava estaba pálida. Desató otro cabo y volvió a bordo mientras el Von Humboldt se alejaba del muelle. Matt se fue junto al capitán Bobby al puente de mando frente al puesto del copiloto si mirabas por el cristal. Detrás de él, había una mesa con un banco lleno de cojines rodeándola por tres de los lados. Un sofá que fácilmente se podía transformar en cama se extendía detrás del capitán, y la popa estaba sin cubrir. Unas sillas y bancos se encontraban alineados por ambos laterales y una gran caja de plástico atornillada a la cubierta guardaba un bote inflable de emergencia. El cartel donde ponía «No abrir» era muy tentador, pero me resistí y abrí otra caja de plástico del tamaño de una nevera pequeña. Dentro había tres machetes relucientes bien encajados en su lugar. Iba a coger uno de ellos, pero mi hermana me disuadió.

—Acabamos de embarcar, Jack. Intentemos evitar cualquier herida, ¿vale?

Yo gruñí y cerré la caja.

El cielo estaba azul y despejado, así que los brasileños se unieron a nosotros en la proa disfrutando del aire libre antes de que empezara a llover. Bobby puso música a todo volumen y movía sus caderas delante del timón.

—¿Dónde habrá encontrado doña Maria a este tipo? —preguntó Ava.

—Parece raro, pero doña Maria nos aseguró que nos llevaría adonde necesitáramos —dijo Alicia—. A propósito, ¿tenemos alguna pista más de dónde puede estar Hank?

—Sí —dijo Ava.

El día anterior, mientras estábamos escondidos en la pequeña casa de los brasileños, Ava y Matt permanecieron varias horas delante del ordenador. Entonces fue cuando mi hermana explicó lo que habían estado haciendo. Después de descubrir que el satélite de Hank estaba sobrevolando la selva, investigaron unas cuantas páginas web de Hank y descubrieron un mapa. No era cualquier mapa, sino uno de la región que había visitado con Pepedro y Alicia.

—¿Podemos verlo? —preguntó Alicia.

Ava bajó deprisa a por el ordenador portátil. Matt odiaba cuando tomábamos sus pertenencias sin permiso, pero estaba demasiado ocupado haciendo como si fuera el capitán de una embarcación fluvial como para darse cuenta. Cuando regresó, Ava abrió el portátil e hizo que Pepedro y yo nos moviéramos hacia los extremos para proteger el ordenador de las salpicaduras del agua.

—No hay red, pero he guardado la página —dijo Ava abriendo un archivo. Básicamente, la imagen era de las copas de los árboles con unos cuantos ríos que los atravesaban. Pero también había numerosos puntos rojos—. ¿Veis esos puntitos? Cuando pasó el ratón sobre ellos, apareció una lista con distintas fechas. Algunos puntos muestran cinco o diez fechas. Otros, algunas menos. Y cuando hicimos clic en una fecha, apareció una foto de ese lugar.

—¿Y qué tienen de especial esos sitios? —preguntó Pepedro.

—No lo sé. Pero este punto —dijo señalando la esquina superior derecha de la pantalla— es el más reciente. Solo hay una fecha y es de hace dos días.

—Así que Hank se encontraba allí hace dos días.

—Quizá —mi hermana se encogió de hombros—. No sé, pero la fecha más antigua es de hace tres semanas.

—La última vez que supimos algo de Hank —dije.

—Eso es.

—Así que puede que el satélite le esté siguiendo —sugirió Alicia.

—Posiblemente. Lo único que sé es que debemos empezar por algún sitio —dijo mi hermana señalando el punto en el extremo superior derecho de la pantalla—. Es lo que tiene más sentido.

Antes de que contestáramos, nuestro capitán nos llamó con una sonrisa.

—¿Qué hacéis los cuatro allí atrás?

Ava cerró el portátil. Matt la pilló y Ava corrió bajo la cubierta sin mirarle. Me incliné hacia Pepedro.

—¿Sabéis cómo ir al sitio que nos ha enseñado Ava?

—Por supuesto —Alicia me dio una palmada en la espalda.

Parecía que la lluvia nos iba a dar unas horas de tregua. Creía que estábamos en el río Amazonas, pero el gran río no empezaba hasta que otros dos ríos más pequeños se unían entre sí. Había pasado media hora desde el comienzo del viaje cuando Pepedro se inclinó hacia la derecha o hacia estribor, mejor dicho, y señaló frente a él.

—Allí vemos una de las maravillas de Manaos: el encuentro de las aguas.

Bajo nosotros el agua era oscura, casi negra. Pero en la parte sur, el agua era de un color más arcilloso, como el café con leche que me sirvieron en el avión. En medio de las dos partes, el color cambiaba de negro a marrón, como si existiera una barrera invisible en el centro del río.

—¿Cómo es eso posible? —pregunté.

—Es precioso, parece magia, ¿verdad? —dijo Alicia mordiéndose el labio.

—Más que magia es ciencia —respondió Ava.

Entonces explicó lo que ocurría. Mi hermano nos pilló mirando. No podía pasar la oportunidad de presumir de sus conocimientos, así que se unió a nosotros en la proa y añadió unos cuantos detalles. Al parecer, navegábamos por un sitio donde dos ríos más pequeños se unían en uno más grande: el Amazonas. Al principio se unían como lo hacen el agua y el aceite, porque el río del norte es más frío y denso. Su tono oscuro es por la cantidad de plantas que caen río arriba y se disuelven.

—Y además, discurre más deprisa que el río del sur, el Solimões —añadió Matt.

Todos mirábamos las aguas maravillados. Entonces me di cuenta de algo. Nuestro capitán estaba en la proa, a nuestro lado.

—¡Capitán! ¿Quién dirige el barco?

—Tranquilo —rio Bobby—. Todo va bien. El barco se conduce solo. Ven, te enseñaré —nos llevó hasta el puente y señaló el mapa de la zona en una pantalla táctil.

—Solo tengo que escoger dónde vamos a parar esta noche. La máquina nos lleva allí, lo hace todo sola.

—¿Y cómo sortea los obstáculos? —preguntó Ava.

—No lo sé —respondió dubitativo el capitán Bobby.

Ava se inclinó a un lado y trató de estudiar el equipo y la antena del techo.

—¿Qué tipo de sensores se utilizan?

El capitán Bobby levantó las manos.

—¿Y los algoritmos? —añadió Matt.

—¡Vete tú a saber! Yo solo dirijo el barco.

—Pero en realidad no lo hace —apunté yo y él me señaló.

—¡Exacto!

Los genios callaron de repente con sus neuronas hechas un lío. Yo no sabía qué responder. Mientras navegamos bajando el río rumbo al este, Manaos ya solo era un recuerdo. Los dos ríos se unieron en un color marrón lechoso. La selva espesa sustituyó a los edificios de las dos orillas y de nuevo empezó a llover haciendo que nos resguardáramos en la cabina.

De vez en cuando, veía un caimán nadando despacio en el agua marrón. Matt señaló algunas nutrias de río. Eran tan largas como yo, grises, bigotudas y escurridizas, como si estuvieran cubiertas por una sustancia viscosa. Algunas más pequeñas se movían como serpientes mientras pasábamos por su lado, culebreando por la orilla del río hasta llegar a un agujero bajo las raíces de un gran árbol que estaban al descubierto. Me dio un escalofrío al verlas. Aquellas nutrias iban a aparecer en mis sueños.

—Fascinante —dijo Matt.

—No. Escalofriante —respondí yo.

Comenzó a llover de nuevo y los cinco nos sentamos alrededor de la mesa mientras la embarcación se autodirigía hacia el este. Nuestro capitán se tumbó en un banco detrás del asiento del piloto y se cubrió los ojos con una gorra. Supuse que se iba a echar una siesta. Pero, en su lugar, preguntó:

—¿A qué sitio os tengo que llevar, chicos?

—Hacia la selva —respondí.

—Sí, ya. Pero ¿dónde? La selva es muy grande.

—Mañana nos dirigiremos hacia el norte por el río Jatupu —respondió Alicia.

Nuestro capitán bostezó y dijo que de acuerdo.

Aquella noche fondeamos la embarcación en una laguna profunda en la orilla del río y para la cena Bobby cocinó un gran perolo de arroz, judías y una especie de verdura amarga. Paró de llover cuando terminamos de cenar. La luz de la luna apareció entre las nubes. Puntitos rojos brillaban cerca de la orilla. Primero pensé que mis hermanos se estaban divirtiendo con los punteros láser; pero después recordé mis lecturas. Los ojos de los caimanes, los cocodrilos de Sudamérica, brillaban con un inquietante color rojo en la oscuridad de la noche.

Mi compañero de viaje en el avión me había avisado de los sonidos. Yo había supuesto que en el río habría silencio, y en lugar de eso, los sonidos de la selva se imponían sobre el sonido del agua. Los pájaros se gritaban entre sí. Los insectos zumbaban ruidosamente. De vez en cuando, un animal rugía o bramaba. Yo intenté ver de dónde provenían los sonidos, pero detrás de los caimanes solo veía árboles y oscuras sombras. No creo en Pie Grande. Ni Hank ni mis hermanos permitirían que creyera en esos mitos, ni tan siquiera en los que son más guais. Pero allí, en Brasil, algunos nativos creían en una criatura a la que llaman Mapinguay, una especie de perezoso del tamaño de un defensa de fútbol americano que acecha en la selva. Esa bestia es el equivalente amazónico de Piesgrandes. Y mientras observaba la selva espesa y oscura, no me habría sorprendido nada que hubiera aparecido para saludarnos.

8
PESCANDO UN MONSTRUO

A LA MAÑANA SIGUIENTE, ME DI LA VUELTA en mi estrecho catre para buscar el despertador. Entonces recordé que no estábamos en casa, en nuestro pequeño apartamento. Estábamos en el río Amazonas, Hank había desaparecido y nuestro capitán no sabía distinguir entre la proa y la popa. Intenté volver a dormirme, pero no pude.

En la cubierta, mis hermanos y Alicia estaban sentados a la mesa comiendo. Pepedro estaba haciendo malabarismos en la parte de atrás del barco y Bobby tenía las piernas colgando sobre la proa, observando el río mientas navegaba hacia el este.

—¿Qué hay para desayunar? —pregunté.

Ava me pasó su cuenco con más arroz, judías y verduras.

—Las sobras.

—Y no hace bocadillos para desayunar, así que mejor no preguntes —añadió Matt.

Para comer, Bobby nos sirvió de nuevo arroz con judías. Comí un cuenco a la fuerza, pero no estaba seguro de que pudiera repetir de nuevo el mismo menú. Pepedro, Alicia y los genios tampoco estaban muy contentos con nuestra comida, así que decidimos hablar con el capitán.

—Pensaba que vosotros ibais a traer vuestra propia comida —admitió Bobby—. Y lo único que tengo en el barco es arroz y judías.

—Hemos traído comida, pero para nuestra marcha a pie. Tenemos que reservarla para la selva —apuntó Alicia.

En la parte de babor del barco, algo chapoteó y Bobby señaló hacia el agua:

—¿Por qué no echamos el ancla e intentamos pescar algo? —sugirió.

—¿Ha pescado alguna vez en un río? No es nada fácil —comentó Alicia.

—Nuestros padres decían que este es uno de los sitios más difíciles donde pescar —añadió Pepedro.

—Bueno, pues menos mal que yo soy uno de los mejores pescadores —contestó Bobby, levantó su dedo índice, nos rodeó y se fue bajo la cubierta.

Unos minutos más tarde apareció con una caña de pescar y una caja con aparejos. A continuación miró hacia el agua.

—La corriente aquí es muy rápida —dijo Bobby—. A esta hora del día creo que tendríamos más suerte cerca de la orilla, allí los peces descansan a la sombra.

Alicia miró hacia la orilla.

—Sería muy peligroso llevar el barco hasta tan cerca, nos podríamos quedar encallados con tan poca profundidad.

De cuclillas, Bobby revisó por donde estaba la caja con el bote salvavidas.

—Esto es en caso de emergencia, ¿verdad? —preguntó, pero no esperó respuesta.

Bobby arrastró la caja sobre la cubierta, abrió unos cierres de metal y se echó hacia atrás al abrirse esta como una almeja. Nosotros también nos retiramos. La tapa se giró hacia atrás y un pequeño motor apareció mientras un material gris comenzó a expandirse poco a poco, tomando la forma de una lancha salvavidas bastante grande. El bote era lo suficientemente largo para que Matt se tumbara. Dos bancos de plástico duro se desdoblaron a lo ancho de la lancha. En unos segundos teníamos listo un barquito de pesca.

—Increíble —dijo Pepedro.

El propio Bobby lo miraba asombrado.

Alicia hundió la mano en el casco.

—Los barcos de río deberían ser todos de metal. El fondo del Amazonas está lleno de árboles, raíces y barcos hundidos que llegan a la superficie. Cualquier cosa puede romper esta goma —señaló Alicia.

—No, este material es muy resistente, nada puede rajarlo —insistió Bobby y se agachó para morder la lancha—. ¿Lo veis? Venga, morded.

En lugar de eso, arañé por los laterales. Parecía un colchón de aire. Ava comprobó el motor.

—¿Es eléctrico?

—Es lo que se fabrica ahora —comentó Bobby.

—Se parece al *Caminante de nieve,* el trineo de Hank —comentó Matt.

El *Caminante de nieve,* uno de los inventos menos conocidos de Hank, es un vehículo de pasajeros mitad soplador de nieve y mitad trineo elástico, muy poco práctico pero muy divertido. Lo había llevado a la Antártida el año anterior, y lo usamos para desplazarnos por el hielo. Un consejo: si vas en el *Caminante de nieve,* mejor evita los obstáculos.

Mi hermano se inclinó sobre la barandilla para mirar el río, pero su mente se encontraba muy lejos. Puse una mano en su hombro y susurré:

—Lo encontraremos.

—Lo sé —Matt asintió sin levantar la mirada.

Bobby dio unas palmadas:

—¿Quién se viene conmigo a pescar la cena?

—Yo no pesco —Alicia movió el dedo de un lado a otro.

—No sé nadar muy bien —comentó Pepedro.

Matt golpeó mi espalda:

—Jack le acompañará.

Por supuesto. Mis hermanos cocinaban las ideas geniales. Dominaban idiomas y fabricaban satélites y robots. Pero alguien debía saltar por las ventanas y navegar en botes de miniatura en un río peligrosísimo.

Bobby me agarró del hombro.

—¿Qué me dices, amigo Jack? ¿Preparado para pescar un monstruo? A lo mejor pescamos un pirarucú.

—Sí, preparado para pescar la cena. Me da igual cómo se llame. Vamos.

Matt y Alicia descendieron la lancha hasta el agua. Embarqué el primero, Bobby me siguió y me mandó al asiento de proa. Encendió el motor eléctrico de la lancha y atravesamos el inmenso y ancho río. El Amazonas no fluía en una sola y constante dirección. Parte de la corriente se dirigía hacia el este, hacia el mar. Otra hacía remolinos. Burbujas y protuberancias explotaban cerca de la superficie. En las orillas, enormes ramas y troncos de árboles sobresalían por encima del fango. En esa zona la corriente de agua iba en dirección opuesta, hacia atrás buscando su origen en las montañas de los Andes. La velocidad también cambiaba, la corriente discurría suave en unas zonas y deprisa en otras.

A nuestra espalda, el Von Humboldt se hacía cada vez más pequeño. La lancha viró cuando Bobby la dirigió sorteando el extremo de un árbol que bajaba por el centro del río. Me agarré bien a ambos lados de la lancha. La gran rama pasó por nuestro lado como si tuviera unas hélices escondidas. Pensé en lo que había dicho Alicia sobre los barcos hundidos que descansaban en el fondo del río. Un mundo totalmente diferente se hallaba escondido bajo las turbias aguas.

—Iremos a ese remanso —dijo Bobby señalando un remolino debajo de un gran árbol—. Tienes que pensar como un pez, Jack. Si yo fuera un pirarucú viejo y grande, es allí donde me gustaría pasar el rato.

La proa rebotó al aumentar la velocidad atravesando el río. Bobby lanzó al agua una pequeña ancla, paró el motor y capturó con la red una docena de pececillos bien gordos. Después preparó la caña de pescar. Enganchó el anzuelo por los ojos de un pececillo que todavía se retorcía y lo lanzó al remolino. Su lanzamiento fue perfecto, y durante unos minutos observé el hilo de pescar esperando a que el monstruo picara.

El primer pez que Bobby levantó con el carrete era pequeño. El segundo fue aún más pequeño. El tercero tenía el tamaño de mi mano, y cuando lo dejó en el fondo de la lancha, Bobby me pidió que le quitara el anzuelo. Hace un año me habría negado a hacerlo, pero en Hawái practiqué algo de pesca, por lo que ya no tenía problemas en capturar a esos nadadores con escamas. Agarré un trapo y lo sujeté firmemente con una mano. Pero, cuando estaba a punto de tocar el anzuelo, aquella criatura intentó morder mis dedos con sus imponentes dientes triangulares. Me eché hacia atrás de un salto.

—¡Es una piraña!

Mi conocimiento de estos peces terroríficos se limitaba a unas cuantas menciones en los libros y a películas de científicos locos que crían pirañas mutantes con pies y van nadando a Nueva York, donde de noche se arrastran por las calles y atacan a la gente cuando sale de los teatros y asaltan los puestos de perritos calientes para darse un festín de salchichas cocidas. Por supuesto, la criatura de la lancha no tenía piernas. A pesar de ello, mis dedos no se iban a acercar a esos afilados cortadores de carne.

—En esta parte del río no hay pirañas —me dijo Bobby—. Quítale el anzuelo.

—Ni hablar —respondí sentándome sobre mis manos.

—¡Vale! —gritó—. ¡Lo haré yo mismo! —casi salta al agua desde la lancha cuando el pez abrió la boca—. ¡Es una piraña! ¿Por qué no me lo has dicho?

Como Bobby tampoco iba a sacarle el anzuelo, cortó el hilo de pescar y tiró al monstruito de nuevo al agua con el anzuelo enganchado a sus mandíbulas. Desconocía lo que pasaba con los peces devueltos al agua. ¿Iría a contarle a sus amigos cómo había asustado a dos humanos? Probablemente pensaría que había sido divertido. O quizá contemplaría atacar Nueva York, por lo menos para comer perritos calientes.

Los dos peces que Bobby había pescado apenas iban a alimentar a uno de nosotros, por lo que nos desplazamos río arriba y río abajo, parándonos en muchos lugares supuestamente estupendos para pescar. Estuvimos así durante un par de horas. Otra comida a base de arroz y judías no parecía tan mala opción.

—¿Lo dejamos ya?

—Solo una vez más, Jack. Intentemos en otro sitio.

Llevó la lancha río arriba y navegamos alrededor de un árbol enorme que sobresalía del agua como un dedo doblado. Entonces me señaló un sitio para echar la pequeña ancla.

—Quizá sea mejor alejarnos de ahí —sugerí.

Bobby me ignoró. Nos movimos corriente abajo desde el enorme árbol y el casco de la lancha tropezó con algo que estaba bajo la superficie del agua. En la parte de debajo de la lancha, apareció una rasgadura. El agua comenzó a inundarla. Intenté cubrir el agujero con mi pie, pero eso hizo que se abriera aún más.

—Bobby, tenemos un problema. La lancha está rajada.

El Von Humboldt no se encontraba a la vista, nos habíamos alejado demasiado. Mi compañero soltó un grito de alegría. Su caña se estaba doblando tanto que parecía que se iba a romper.

—¡He pescado uno grande, muchacho! ¡Es una bestia!

—Está entrando mucha agua —dije.

—Tranquilo, no pasa nada —aunque ni siquiera miró el agujero de la lancha.

Sostuvo la caña con una mano y me apartó a un lado.

—Cambiemos de sitio, necesito colocarme en la proa.

—¿Puedo dirigir la lancha?

—Hasta que no saque este pez del agua, no vamos a irnos a ningún sitio.

El carrete no giraba. Lo que había pescado no quería moverse. Con frecuencia, los científicos descubren especies nuevas de animales en el Amazonas. Según mi hermano, cada dos días. Casi siempre son pequeñas criaturas: ranas, insectos y esas cosas. Pero ¿y si Bobby había pescado algo totalmente desconocido? Me imaginaba que nuestro anfitrión caería al agua en el último segundo. Entonces yo cogería la caña, enrollaría el sedal sacando a la criatura y el descubrimiento sería mío. ¿Podría poner un nombre a mi descubrimiento? Creo que lo llamaría Pez Jack. No, mejor un nombre amazónico, estilo *jackarú.* Pero solo si fuera majestuoso e impresionante de bonito. Si fuera feo y terrible, lo llamaría el *mattarando.*

La criatura que estaba ahí debajo no se rendía, y tampoco Bobby. El agua nos llegaba ya hasta los tobillos, pero a él no le importaba. El sudor le caía por su frente y los ojos se le habían puesto rojos. Las venas de su cuello y de sus brazos estaban hinchadas.

—¡Sécame la frente! —me ordenó.

¿De qué iba? Insistió y contesté:

—Ni hablar.

—Por favor..., casi no puedo ver nada.

Y yo no me veía usando mi camiseta para secar el sudor de la frente a ese tipo. Así que cogí el trapo que había utilizado para sujetar la piraña. Bobby estaba sentado en la proa dándome la espalda. Lo hice deprisa y me lo agradeció. Seguro que algunas escamas le caerían por los ojos.

—De verdad que deberíamos pensar en irnos —le recordé.

El agua marrón comenzaba a llegar a mis espinillas. Intenté achicarla.

—Bobby, nos tenemos que ir —repetí—. La lancha se está inundando, suelta el pez.

—No, estamos bien —insistió él.

Lo rodeé y elevé el ancla.

—No me voy a rendir, muchacho —gruñó Bobby apretando los dientes—. Deja el ancla —gruñó incapaz de mover el carrete—. Él es un luchador, pero se cansará pronto y comeremos bien.

Algo en la voz de Bobby me pareció diferente, pero no tenía tiempo para averiguar qué era. El agua me llegaba a las rodillas y Bobby estaba de pie tirando de la criatura escondida con todas sus fuerzas.

—No creo que debiera…

—¡Cállate! ¡Intento concentrarme! —me gritó.

La piraña con el anzuelo en la boca seguro que estaba dando vueltas por debajo de la lancha. Probablemente hasta había llamado a sus colegas. Estarían todos allí abajo esperando a que nos hundiéramos. Miré hacia atrás por si veía el Von Humboldt, pero el río hacía una curva y una masa de árboles se inclinaba sobre el agua impidiendo que viéramos a nuestros amigos.

—Casi lo tengo —gritó Bobby—. Lo noto cada vez más débil.

Y yo sentía que el agua crecía cada vez más deprisa. La caja de los aparejos con todos los utensilios de pesca ya estaba flotando a la altura de mis rodillas. Abrí la tapa y busqué un cuchillo, me acerqué a Bobby y corté el sedal de pesca. La caña rebotó hacia el cielo.

Bobby se cayó hacia atrás y casi termina en el agua. Se dio entonces la vuelta y me agarró de la camiseta. Comenzó a gritarme y a salpicar mi cara y la camiseta con sus escupitajos. Me arrastré hacia la popa, pero no me soltaba. Me podía haber echado al agua, y en medio de tantos gritos me di cuenta de lo que había cambiado en su voz.

Su acento había desaparecido. No había ningún acento escocés o irlandés. Tenía acento americano.

Entonces paró de gritar y miró a su alrededor, como si acabara de despertar de un sueño para encontrarse en un bote medio hundido. Sus piernas estaban sumergidas en el agua marrón y yo estaba hundido hasta la cintura. Nos quedaban unos pocos minutos y las pirañas nos estaban esperando y quizá también algún *jackarú* furioso.

Rápidamente se movió hacia atrás lanzándome hacia la proa. Puso en marcha el motor, pero su sonido quedó ahogado enseguida.

—No funciona. ¡Odio las baterías! —se puso las manos en la cabeza y miró en dirección a la orilla.

—¿Sabes nadar?

—¿Sííí?

—Es una respuesta o una pregunta.

—Sí sé nadar, pero no quiero hacerlo aquí.

Bobby chapoteó sobre el agua dentro de la lancha.

—Esta pequeña embarcación se va a hundir totalmente en menos de cinco minutos. Lo siento, Jack, pero no tenemos más opciones. Debemos nadar hacia la orilla.

Señalé hacia el árbol medio sumergido.

—¿Y allí? ¿No podemos subir al árbol?

—Ni hablar. Tendríamos que nadar contra corriente.

La orilla estaba a unos cuantos largos de distancia. Algunos finos y altos árboles se inclinaban sobre el margen del río. El suelo tenía el color de la arena y unos pasos tierra adentro, juncos verdes, arbustos y enredaderas se alzaban como paredes curvadas. La luz del sol no entraba en aquel mundo de vegetales. Las sombras acechaban por todos sitios. Y entonces creí ver algo.

El asiento de proa estaba casi completamente hundido, pero de todas formas me senté ahí con los brazos cruzados a la altura del pecho.

—Yo no voy a ningún sitio.

Bobby me miró con desprecio.

—Lo conseguirás. La corriente pierde fuerza a medida que te aproximas a la orilla, en la parte menos profunda.

—Yo espero aquí. Vendrán a buscarnos.

—¿Qué te ocurre? ¿Te asustan algunos peces?

Pues sí, y tampoco estaba emocionado por descubrir lo que nos esperaba en las sombras. Por no mencionar que confiaba en nuestro capitán casi tanto como confiaría en un niño pequeño. Si había estado simulando su acento todo ese tiempo, ¿sobre qué más nos había mentido?

—Vaya usted. Yo me quedo —dije.

—Como quieras, muchacho.

Levantó un brazo sobre su cabeza y estiró el codo con la otra mano, después hizo lo mismo con el otro brazo. Respiró profundamente varias veces, echó los hombros hacia atrás y se tiró de cabeza al agua. El río se arremolinaba alrededor de la balsa medio hundida. Un río con pirañas de dientes afilados, caimanes mortales y amenazadores pececillos. Incluso las nutrias tenían las garras afiladas. Y si ninguno de esos monstruos me devoraba, el Amazonas lo haría. Si no lograba llegar a la orilla, la corriente me llevaría hacia el océano Atlántico.

En realidad, solo había una opción, por lo que me zambullí también en el agua marrón.

Bobby ya nadaba unos cuantos metros por delante de mí a crol y dando patadas como un poseso. Yo opté por el estilo de los perritos, o crol de las capibaras. Mantuve la cabeza baja, con solo la boca por encima del agua, e intentaba no salpicar. De esa forma pensé que a las pirañas les atraería más Bobby, y yo podría nadar deprisa hacia la orilla mientras él las intentaba esquivar.

Algo resbaladizo y gelatinoso me rozó la pierna. Entré en pánico, di una patada al agua y me volví para nadar a espalda. Aquello era una cosa enorme. ¿Realmente Bobby había pescado un pez increíble? ¿Y en ese momento venía a por mí? No quería pensar en otras posibilidades. Una de ellas, las nutrias gigantes. O los animales de la jungla. Un habitante de la selva se podía haber deslizado hacia el agua en busca de un aperitivo. Ese monstruo no tenía garras mortales ni dientes. En su lugar, enroscaba a sus víctimas en un abrazo que les arrebataba la vida. Y realmente no quería ser la comida de una boa constrictor. Me volví de nuevo y me olvidé del estilo de la capibara. Tenía que sacar mi Ava interior. Hundí la cabeza en el agua y comencé a nadar tan deprisa como pude.

Aquella bestia golpeó de nuevo mis piernas. Y otra vez. Mi corazón latía alocadamente. Batí mis brazos y golpeé el agua con cada músculo de mis piernas delgaduchas. Estaba agotado, casi sin aire en los pulmones y tenía miedo hasta de respirar. Levanté la cabeza y me froté los ojos. La orilla estaba cerca, lo podía conseguir, así que nadé más deprisa.

Golpeé algo con la mano. No era un pez, y tampoco una boa constrictor. Mis dedos se hundieron en el frío cieno. Era el lecho del río. Levanté la cabeza y vi que la orilla estaba todavía a unos nueve metros, pero por lo menos había llegado hasta la parte menos profunda. La corriente no bajaba por allí tan deprisa. Di una patada y subí las rodillas. El agua me llegaba hasta la cintura. Me puse de pie y miré a mi alrededor buscando a la criatura que me había considerado como su próxima comida o estaba haciendo piececitos conmigo en versión amazónica. Pero no veía nada debajo del agua marrón; y tampoco quería darme la vuelta porque seguro que vendría otra vez a por mí. Mis talones se hundieron en el barro mientras caminaba hacia atrás paso a paso y muy despacio para alejarme del río.

—Para —me susurró Bobby.

Volví la cabeza. Él estaba solo a unas zancadas de distancia de la orilla y el agua le llegaba a las rodillas, pero se encontraba de cuclillas con las manos fuera del agua. Volvió la cabeza un poco mientras me hablaba con su mirada fija en la selva.

—No te… acerques… más.

Me di la vuelta muy despacio. Un gato grande de pelo negro moteado de amarillo salía sigilosamente de entre los arbustos. Ese no era el tipo de felino que ronronea y se sube a las estanterías de libros o persigue a los ratoncitos de jardín. Ese era uno de los depredadores más temidos de la selva, un felino que, de un mordisco, podía aplastar el cráneo de una capibara con sus poderosas mandíbulas.

Bobby tenía la mirada fija en el jaguar.

Miré de reojo hacia el agua buscando alguna señal de la criatura misteriosa sin perder de vista al depredador que venía despacio hacia nosotros. Bobby retrocedía de espaldas hacia mí.

—Todo va a salir bien —su voz intentaba ser tranquilizadora y, de hecho, le creí—. Saldremos de esta, Jack —el jaguar estaba al borde del agua. Bobby se encontraba ahora junto a mí y había recuperado su acento—. Todo irá bien, pero no estás precisamente en Brooklyn.

El enorme felino se aproximó despacio.

—¿Seguro que saldremos de esta? —murmuré.

Bobby rio.

—Claro. Los gatos no saben nadar —dijo mientras daba una palmada en el agua y salpicaba al jaguar.

La criatura gruñó. Bobby bajó de nuevo la mano para salpicarle otra vez, pero por suerte le agarré del brazo a tiempo.

—Por favor, Bobby, no haga eso.

—¿Por qué no? Los gatos no pueden venir hasta aquí.

El jaguar entró en el río.

—En el Amazonas los felinos pueden nadar —le dije.

Entonces palideció.

—¿De verdad?

El jaguar entró despacio en el agua avanzando hacia nosotros. Bobby soltó un taco.

Detrás de nosotros oímos el rugido de un motor. Se trataba del Von Humboldt que apareció ante nuestra vista salpicando agua a ambos lados según avanzaba. Pero no nos movimos. El agua del río parecía más caliente. Miré a Bobby y él evitó mi mirada. No se habría… no, era un adulto. Los mayores no hacen… eso, ¿no?

Bobby comenzó a moverse a mi alrededor adentrándose en el río.

—¿Qué hace?

—Me voy nadando. No van a poder adentrarse tanto en la orilla y debemos poner más agua entre ese gato y nosotros.

—Pero en el río hay algo —le avisé.

Bobby no me escuchó. Corrió río arriba donde cubría hasta la cintura, se hundió en la corriente y comenzó a nadar.

En ese momento, me convertí en la única presa del jaguar. Retrocedí hasta donde cubría más. El animal se encontraba a cinco metros de mí y seguía acercándose. Entonces saltó al agua y se paró muy cerca de mí. Una ola pasó por mi lado y me golpeó la espalda. El río hacía un remolino entre el jaguar y yo como si estuviéramos de repente apresados en una piscina de olas estropeada. Dos extrañas formas de color rosa salieron a la superficie. No eran serpientes. Esos animales tenían aletas rugosas en la espalda. El jaguar estaba de pie en el agua y dando zarpazos a la superficie. El depredador comenzaba a entrar en pánico.

Uno de los enormes peces rosas avanzó deprisa bajo la superficie del agua contra el jaguar y lo embistió como si fuera un rinoceronte acuático. El gato rugió y el otro pez le embistió desde el otro flanco golpeándolo también. Yo seguí retrocediendo en el agua hacia lo más profundo. El felino ya estaba casi fuera del río, gruñendo a los extraños animales escondidos bajo el fango. La bestia ya ni me miraba y entonces oí a Ava y a Matt llamándome. Si quería intentar ir nadando hacia el barco, esa era mi oportunidad. Me di la vuelta y nadé de forma furiosa con los ojos cerrados. Cuando por fin los abrí, el Von Humboldt no estaba muy lejos. Hundí mi cabeza y seguí nadando hasta que toqué el casco con la mano.

Matt y Bobby tiraron de mí y me sacaron a duras penas del río. Caí en uno de los bancos con cojines y comencé a toser y a escupir casi un litro de agua. Mi hermana me agarró del brazo y me ayudó a reincorporarme.

—Estás bien, ya ha pasado todo.

Respiré. Bobby ya se había ido bajo la cubierta. Miré hacia la orilla y vi al jaguar escabulléndose por entre los arbustos. La extraña pareja de peces había luchado contra aquella fiera y después había desaparecido por las aguas llenas de barro.

—¿Estás bien? —preguntó Alicia.

—Sí, sí. ¿Qué eran esos animales?

—Son bufeos —respondió Pepedro con una sonrisa—. Has tenido mucha suerte. No todos los turistas logran ver un bufeo. Y no muchos pescadores en peligro terminan siendo rescatados por uno de ellos.

—¿Qué es un bufeo? —pregunté.

—Son delfines rosados de río —explicó Ava.

—Son un poco distintos —respondió Alicia y subió entonces una mano—. Son unas criaturas muy especiales. Algunas personas creen que son mágicas y que proceden de Encante, una ciudad que se halla sumergida en el río, más bella que cualquier reino de la Tierra. Cuando alguien desaparece en el río, se dice que los bufeos se lo han llevado a Encante.

—Son solo leyendas —comentó Ava—. La gente inventa estas historias para sentirse mejor cuando alguien muere. Más les valdría aceptar su muerte.

Yo había oído a Hank decir algo muy parecido una vez. Por lo que me pregunté si Ava realmente lo creía así.

—También hay historias sobre bufeos que se transforman en humanos y que hacen que hombres y mujeres se enamoren de ellos. Quizá le hayas gustado a uno de esos bufeos, Jack —añadió Alicia con una sonrisa—. A lo mejor te gustaría casarte con uno…

Bobby subió de su camarote con una camiseta seca y otros pantalones cortos morados. Me pasó una toalla y él tenía otra enrollada al cuello.

—Bueno, ¡vaya aventura! ¿Eh, Jack?

Volvía a tener ese extraño acento, y entonces recordé algo que me había molestado cuando estuvimos frente a frente con el jaguar.

—¿En serio? —intervino Ava—. Eso ha sido totalmente insensato, podíais haber muerto.

—¿Tampoco habéis pescado ningún pez? —preguntó Pepedro.

—Lo habría hecho si aquí, el pequeño Jack, no hubiera cortado el sedal.

¿El pequeño Jack? Pero si medía más de un metro sesenta. Muchas gracias. Para un chico de mi edad estaba en la media…

—Además —continuó Bobby—, lo importante es que hemos sobrevivido, gracias a que fui lo suficientemente valiente como para salir nadando y lograr de esta forma que el jaguar perdiera el interés en nosotros.

—Pero si yo…

—Gracias —me cortó Bobby—. No hay nada más que añadir.

Un ejército de robots inteligentes con pistolas láser apuntándome al pecho no habrían provocado que yo dijera aquello. Miré fijamente a mi hermana, que sutilmente movió la boca diciendo: «Déjalo».

Mi ropa estaba empapada y olía a agua sucia y a escamas. Me lavé las manos y la cara bajo la cubierta, y mientras me ponía ropa seca, un rayo esclarecedor atravesó mi mente. Las palabras de Bobby cuando estábamos en el río volvieron a mí: «No estás precisamente en Brooklyn». Sabía que vivíamos en Brooklyn, y eso nunca se lo habíamos dicho a doña Maria. Había estado simulando el acento todo el rato. No se sabía el nombre del barco. Apenas sabía nada del Amazonas o de la selva. No sabía que los jaguares podían nadar. Y seguramente era una coincidencia, pero parecía que el color morado le gustaba.

Bobby no era capitán de barco. Ni era un guía del río. Era un impostor y un ladrón.

Habíamos viajado a Brasil para avisar a Hank sobre el delincuente que había entrado en su laboratorio para robar sus ideas. Y ahora estábamos llevando a ese hombre hasta él.

9

A DESHACERSE DEL CAPITÁN

NO NECESITÉ CONVENCER A MIS HERMANOS. El acento de Bobby había hecho sospechar a Ava, y para ella tenía sentido la posibilidad de que fuera fingido. Matt se preguntaba cómo había descubierto nuestros planes y le recordé el episodio de la limusina. El conductor había llevado el teléfono con el altavoz conectado y allí estuvimos hablando de todo. Probablemente, Bobby había alquilado el coche para que lo utilizáramos nosotros y así escuchó nuestra conversación. Ava supuso que nos había estado siguiendo desde que aterrizamos en Brasil.

—¿Piensas que también hizo que los niños nos robaran los teléfonos móviles? —preguntó mi hermana.

—No creo, es algo muy frecuente aquí —contestó Pepedro.

Nuestro falso capitán había ido bajo la cubierta y los brasileños comprobaban de vez en cuando que siguiera en su camarote.

—Tenemos que deshacernos de él —decidió Ava.

—Sí, pero ¿cómo? —pregunté.

—Deberíamos haberlo supuesto —dijo Matt sacudiendo la cabeza—. El primer día ni siquiera preguntó nuestros nombres.

—Porque nos conocía del laboratorio de Hank —dije—. Ya lo sabía todo acerca de nosotros cuando vino a por los archivos.

Alicia nos hizo una señal para que bajáramos la voz.

—Vale, y entonces, ¿qué hacemos? —preguntó Ava.

Pepedro comenzó a hacer malabarismos pasándose la pelota de un pie al otro golpeándola con efecto. Sin mirarnos, preguntó:

—¿Creéis que está viajando a la selva para conseguir esos archivos?

—Seguro que no es una coincidencia —respondí dubitativo.

—¿Y también pensáis que Hank todavía lleva consigo ese USB? —preguntó Pepedro.

—No lo sabemos seguro, pero siempre lo ha llevado encima —contestó Matt.

—¿En esa riñonera tan graciosa? —preguntó Alicia—. Me encanta esa riñonera. Es muy americana. Pero lo que sigo sin entender es ¿por qué tanto jaleo para robar tan solo unas ideas?

—Esas ideas podrían valer millones de dólares —expliqué.

—Vaya... entonces yo también las protegería. Aunque en un sitio más seguro que una riñonera.

Escuchamos que la puerta del camarote de Bobby se abría y Pepedro paró el balón dejando el pie sobre este.

—Y entonces el protón respondió: es algo positivo —dijo Matt.

Ava se rio de forma falsa y me dio un codazo. Yo simulé una carcajada y murmuré a nuestros amigos brasileños:

—Chiste de científicos.

—¿De verdad es divertido?

—Para ellos, sí.

Bobby nos sonrió y regresó a su banqueta en la proa. Ava se puso en modo estereofónico y subió el tono de voz. Se volvió hacia nosotros levantando los pulgares.

—¿Y podremos caminar desde allí? —preguntó—. ¿Y si salimos esta noche?

—No —contestó Alicia—. Estamos demasiado lejos. Debemos continuar avanzando en barco durante dos días más.

—¿Y qué hacemos hasta entonces?

—No sé. Disfrutar del Amazonas.

Aquello era imposible. El río había comenzado a aterrarme. Por la noche los sonidos eran mayores. Continué viendo los ojos rojos de los caimanes en la orilla e imaginando a las pirañas nadando bajo nosotros, y a las nutrias subiendo a la cubierta mientras dormíamos, contoneándose hasta nuestras camas y haciéndonos cosquillas en la cara con sus grandes bigotes húmedos. Tuve pesadillas en las que me casaba con un bufeo. En el sueño llevaba un esmoquin muy chulo, pero la visión del delfín con un vestido blanco y un velo me impresionó y desperté de repente dándome un golpe con la litera de Pepedro.

La lluvia caía constantemente y Bobby se empezó a aburrir. Y cuando él se aburría, le gustaba jugar a las cartas. La mañana después de nuestro encontronazo con el jaguar estuvimos jugando al póquer durante tres horas.

Aquella noche después de cenar, Matt y Ava estaban fregando los platos en la cocina cuando vi que Alicia observaba la orilla. Bobby estaba a mi lado intentando divisar algo en la misma dirección.

—¿Qué estás mirando? —le preguntó Bobby.

Ella tosió y respondió:

—Me había parecido ver un jaguar, pero me he equivocado.

Después, a la entrada de nuestras literas, la abordé y le pregunté.

—No era un jaguar lo que mirabas, ¿verdad?

—No era un jaguar. Estamos ya aquí.

—¿Aquí? ¿Qué quieres decir? Si solo ha pasado un día.

—Hay otro camino, pero tenemos que salir esta noche. Cuando Bobby vea mañana por la mañana que no estamos, la selva será demasiado espesa como para que nos pueda seguir.

Tras pasar el mensaje a mis hermanos, hicimos nuestras mochilas discretamente y esperamos. Cada quince minutos, Pepedro se asomaba para comprobar si Bobby permanecía despierto, pero este nunca parecía cansarse. A medianoche todavía estaba en la cubierta. A la una de la madrugada oímos por fin que se cerraba la puerta de su camarote. Esperamos y Pepedro entró en nuestra habitación para avisarnos de que era el momento de marcharnos.

En la cubierta los dos brasileños abrieron la caja de plástico de la popa y sacaron dos machetes relucientes. Quedó uno por sacar y fui yo mismo a cogerlo.

—No, no. Tú no —dijo Alicia.

—¿Por qué yo no?

—Te puedes cortar una mano de forma accidental.

—¿Y vosotros no?

—Nosotros usamos machetes desde los seis años. Sabemos cómo utilizarlos.

—Yo también —dije mientras estiraba la mano e iba hacia Alicia para que me lo pasara. Me dio uno y, al balancearlo, se me escapó por la empuñadura. El machete salió volando por la cubierta y cortó un salvavidas.

Si hubiese sido posible que una persona quemara a otra con la mirada, Matt lo habría hecho conmigo en ese momento. Durante un instante nos quedamos en silencio y yo me temí que lo hubiera arruinado todo. Escuchamos, pero afortunadamente Bobby no se despertó. Desde luego, en ese momento, descarté una carrera como espía o como ninja.

Alicia sacó el machete del salvavidas y lo dejó en la caja.

—Nada de machete para ti.

—Vayámonos antes de que Jack despierte a toda la selva.

Me colgué la mochila de los hombros y Ava también lo hizo, aunque la suya parecía el doble de llena.

—No me digas que te llevas a *Betsy.*

—No la voy a dejar aquí.

—Seguro que antes de mañana os habréis liberado de la mitad de vuestra carga —predijo Alicia—. Son demasiadas cosas para llevar a través de la selva amazónica.

No conocía a mi hermana. Pepedro señaló mis zapatillas de baloncesto.

—No le gustan las botas —dijo Ava, y tenía razón.

—Estaré bien.

—Te vas a mojar.

Después de comprobar dos veces que lo llevábamos todo, Matt insistió en ponernos a Ava y a mí un repelente de insectos natural. Una nube de producto se posó sobre nosotros. Lo probé con la punta de la lengua y casi vomito intentando dejar de toser. Bajamos por la popa hasta una pequeña plataforma. El agua formaba un remolino por detrás del barco. Ramas de árboles rotas y hojas muertas flotaban corriente abajo. Alicia se agachó para recoger un palo largo como un bate de béisbol y arrancó algunos brotes. Con cuidado bajó hasta el río y sujetó su mochila sobre su hombro. El agua le llegaba hasta la tripa y, mientras caminaba, pinchaba el lecho del río con el palo.

—¿Qué haces? —preguntó mi hermano mientras la seguía.

—A veces sobre la arena hay rayas que pueden picar y te dejan dolorido durante una semana —explicó Pepedro.

—Pásame un palo, por favor —pidió Ava.

El agua estaba caliente y todos copiamos lo que hacía Alicia sujetando las mochilas sobre el hombro para que no se mojaran. La música de la selva se hacía más estruendosa con cada paso. Los insectos, los pájaros y los nerviosos monos zumbaban, gritaban y resonaban. Espesas nubes no dejaban pasar la luz de la luna. La orilla estaba a unos veinte pasos.

—¿Dónde está el sendero? —pregunté y Ava me dijo que me callara.

Mis zapatillas estaban chapoteando en el cieno. ¿Realmente había sido una buena idea insistir en usar las botas de baloncesto en lugar de las de senderismo? No, quizá no. Seguro que no iba a ganar un Premio Nobel por esa decisión.

Pero ahora ya no tenía otra opción.

—Hubiera sido mejor si nos hubiéramos descalzado antes —dijo Matt.

—Hubiera sido también inútil. Estamos en la selva amazónica —dijo Pepedro—. El calzado va a estar mojado a cada paso que demos todos los días.

Alicia caminaba hacia un denso matorral de hojas verdes. Miré detrás de nosotros por si venía algún bufeo. Alicia dijo que a veces se acercaban a los humanos en mitad de la noche, y realmente, no estaba yo por la labor de casarme con un delfín. La espesa selva frente a nosotros no parecía muy acogedora.

—¿Y qué pasa con los jaguares?

—A los gatos no les apetecerá molestarnos. Somos demasiados —indicó Pepedro.

—¿Y las serpientes? —preguntó Matt.

—O los murciélagos vampiros —añadió Ava.

Una parte de mí estaba satisfecha por el nerviosismo de los genios. Pero nuestros guías no disiparon nuestros temores. Se quedaron callados. Alicia avanzaba retirando las hojas grandes. Un paso por detrás de ella iba Matt, quien resbaló en la orilla del río llena de barro. Pudo alcanzar a tiempo una rama donde sujetarse y no caerse. La lluvia y el rocío se desprendieron de las hojas y lo empaparon. En cualquier otra ocasión, me habría reído; en cambio, esta vez, en lugar de ello, le agarré por el codo. Asintió dándome las gracias y siguió a Alicia por entre los arbustos.

—Quizá sea mejor si vais con la cabeza agachada —sugirió Alicia.

Lo hicimos, pero no sirvió de mucho. Las hojas nos golpeaban en la cara, nos sacudían la espalda y empapaban la ropa. Alguna vez me había preguntado qué se debía de sentir estando dentro de una máquina lavacoches. Creo que ya lo sé.

Más adelante había un pequeño claro, un lugar donde apenas había sitio para nosotros cinco.

—Aquí es —dijo Alicia—. ¿Estáis listos?

Nos ajustamos las mochilas.

—¿Este es el camino? —preguntó Matt.

Se alzó golpeándose la cabeza con una rama. Grandes hojas lisas y húmedas me restregaron la cara como si fueran las manos de un monstruo de la selva. Un animal gritó tan fuerte que parecía como si estuviera chillando directamente en mi cerebro. Grillos o chicharras cantaban como un millón de violinistas tocando violines desafinados. Un rugido nos llegó a través de la selva y agitó hasta mis huesos. Una vez Hank nos llevó a un concierto de Coldplay. Nos pusimos justo al lado de unos grandes altavoces y, después de aquello, los oídos me estuvieron zumbando durante dos días. Pero aquel concierto no se podía comparar con la selva. La selva es el lugar más ruidoso donde jamás he estado.

Mi hermano se dio una palmada en la cara.

—¡Ay! ¡Me ha picado algo!

—Vete acostumbrando —respondió Pepedro—. Y guarda silencio, que todavía estamos cerca del barco.

Alicia se rio y siguió avanzando.

—¡Seguidme!

—¿Por dónde? ¡Ni siquiera veo el sendero!

—Hay una especie de camino —dijo Pepedro—. Bienvenidos al Trilha da Dor.

—¿Qué significa? —pregunté.

—La verdad es que no lo sé —admitió Ava.

—A Trilha da Dor significa el Sendero del dolor.

10

EL SENDERO DEL DOLOR

CUANDO ME HAGO UN ARAÑAZO O UN CORTE en la pierna, alguien lo ve antes que yo. Normalmente no me quejo en el dentista, ¿y las agujas? Ni me inmuto. Una vez alguien me lanzó tan fuerte un balón de fútbol americano que al intentar atraparlo se me salió el dedo de la articulación, y apenas grité cuando mi padre de acogida lo puso de nuevo en su sitio. Me considero un tipo duro.

Hasta que descubrí el Sendero del dolor.

Olvídate de la comparación con un lavado de coches. Al caminar por la selva de noche, se unían diecisiete formas diferentes de tortura. Las hojas y las ramas y las plantas con espinas me golpeaban la cara, el pecho y los brazos. Pisé unas maderas podridas y una horda de hormigas se me subió por la zapatilla. Me las sacudí deprisa, pero una docena de ellas pudieron clavar sus pequeñas mandíbulas en mi piel atravesando los calcetines, y sentí como si cientos de avispas me picaran a la vez. Moscas invisibles me atacaban por el cuello y los tobillos. Incluso los sitios de mi cuerpo que supuestamente estaban protegidos, resultaban disponibles para sus ataques. Sí: algo me picó en el culo. ¿Cómo puede ocurrir algo similar? Buena pregunta. No es que caminara enseñándoselo a los monos, precisamente.

Ah, y hablando de monos. Eran más que ruidosos. Según Matt, los monos aulladores eran los animales terrestres más ruidosos del planeta. Normalmente iban de un lado a otro en grupos de quince o veinte monos, así que con sus gritos parecía como si un ejército estuviera cargando contra nosotros en mitad de la selva.

Mis zapatillas de baloncesto estaban empapadas. Mis calcetines parecían toallitas calientes y, aunque estábamos en mitad de la noche, sudaba sin parar. Además, nuestros dos guías no utilizaban esos ridículos machetes. No habían apartado ni una hoja, y tenía que caminar con los brazos por delante parando las ramas como un karateca para los golpes. Alguna que otra vez posiblemente gritara bajito: «¡Hi-yah!».

Mientras tanto, Alicia iba canturreando y Pepedro silbando. Los dos decían lo agradable que era haber vuelto a la selva. Yo iba delante de Pepedro y habíamos caminado durante horas cuando finalmente me rendí. Había aplastado por lo menos siete moscas en el cuello y en los tobillos, me doblé hacia delante y me agaché.

—Necesito descansar.

El muchacho del pie del millón de dólares me palmeó en la espalda.

—Tan solo hemos caminado una hora, Jack.

—¿Solo? —preguntó mi hermano.

Al menos él también estaba agotado.

—Yo estoy bien —dijo Ava.

Por supuesto que lo estaba. Alicia dio un golpecito a su reloj y se iluminó con una luz verde.

—No hemos caminado una hora, tan solo han sido dieciséis minutos. Entre nosotros y el barco debemos poner por medio tantos kilómetros como podamos. Nuestro amigo Bobby nos puede atrapar si vamos demasiado lentos.

—¿Podríais por lo menos utilizar el machete? —pregunté.

—No —dijo Pepedro.

—Porque no podemos dejar rastro, ¿verdad? —comentó Ava.

—Exacto —dijo Alicia—. Si lo hiciéramos, nos podría seguir más fácilmente.

—¿Por lo menos podrías dejar de silbar un poco? —pidió Matt—. No quiero ser maleducado, pero es un poco pesado.

—No es una buena idea —comentó Pepedro.

—¿Ah, no?

—No.

—No eres el único al que molesta el silbido —dijo Alicia—. Con él mantiene a ciertos animales alejados.

Los tres comenzamos a silbar con ellos. Mientras caminábamos por la jungla, Pepedro, de vez en cuando, agarraba un puñado de hojas de una rama y se las metía en la mochila. Intentaba concentrarme en lo que había delante de mí: el suelo, las ramas que rebotaban desde la persona que iba por delante... Cuando Pepedro señalaba alguna criatura o planta interesante, escribía algún apunte en mi libreta. El papel estaba ya mojado por la neblina, la tinta se corría y apenas había luz para ver lo que escribía. Pero si no lo anotaba, seguro que no lo recordaría después.

Las moscas que mordían y demás insectos eran una pesadilla cósmica, pero no podía evitar pensar que tan solo eran unos de los muchos peligros aterradores que poblaban la selva. Por ejemplo, el jaguar. Quizá nos hubiera seguido desde el río. O una víbora terciopelo amarilla, una de las más rápidas y mortales, podría estar reptando a nuestro lado. En cualquier instante, una manada de pecaríes enfadados podría aparecer corriendo y clavarnos sus colmillos. O quizá un tucán molesto nos quisiera picotear con su enorme pico; o un oso hormiguero, cuyas garras y brazos eran tan fuertes que podían abrir el estómago de un jaguar.

Cada varios minutos sacudía la cabeza intentando apartar esos pensamientos. Y seguimos caminando. Las siguientes horas me parecieron días. Me picaban los ojos por el sudor y el repelente de insectos que bajaba por las cejas. Los silbidos se hicieron tan habituales como el respirar. Mientras caminábamos, nos arrastrábamos y subíamos por los árboles caídos en el suelo apartando ramas y hojas, atizándolas constantemente y parando las ramas que nos sacudían cuando la persona que estaba delante las apartaba de su camino. Mis hermanos además utilizaban los punteros láser para señalar bichos chulos y otras criaturas. De vez en cuando, Pepedro nos hacía parar. Una vez señaló unos extraños brotes en forma de lágrimas que salían de un tronco enorme. Matt se inclinó para tocarlos, pero Pepedro sujetó su mano.

—Ten cuidado, que pican.

—¿También pican los árboles? —preguntó Ava.

—En la selva casi todo pica o pincha. Pero también te regala muchas cosas si conoces sus secretos —Pepedro subió la mirada hacia una enredadera que colgaba a la izquierda. La tomó con las dos manos y la partió. Del tallo brotó un líquido. Pepedro se inclinó y lo bebió. Después me pasó el tallo.

—Bebe, es agua.

Quizá fuera cierto, pero estaba caliente y sabía a corteza. Di un sorbito y se lo pasé a Matt.

—Prueba, es delicioso.

Fui deprisa para alcanzar a Pepedro y Alicia, y oí que Matt lo escupía. Entonces mis pensamientos empezaron a discurrir por otros caminos. Normalmente, intento poner límites a las derivas de mi mente, como si atara un perro con una correa en el jardín. Pero esta vez di rienda suelta a mis pensamientos y me pregunté qué clase de criatura me gustaría ser si viviera en la selva. ¿Un murciélago vampiro? ¿Una boa constrictor? Los monos aulladores tenían unas barbas impresionantes, y sería divertido ir gritando por ahí todo el tiempo. Ser pequeño como una mosca también estaría guay; pero es verdad que tendría un montón de hermanos muy pesados, y solo viviría unos pocos días. ¿Y si fuera un murciélago sin cola de Brasil? En el avión leí que eran los animales voladores más veloces del mundo.

—Jack, Pepedro te está hablando —me avisó Ava.

Nuestro guía señaló algo que colgaba de una rama. Supuse que era otra planta extraña. Después me di cuenta de que se trataba de un animal que acechaba desde detrás de las hojas frente a mí. Se trataba de un perezoso peludo, suave y magnífico. Apenas lo distinguía sin la luz de la luna. Estaba un poco separado del árbol mirándonos fijamente y eso me encantó. Un grupo de extraños humanos atravesaba ruidosamente su territorio, aunque él apenas nos dedicó unos segundos. Nada iba a poner nervioso a un perezoso. Que el resto de los animales reptara o se balanceara, chillara o rugiera, le daba absolutamente lo mismo, él tan solo se relajaba.

Olvídate del murciélago. Si tuviera que elegir, sería un perezoso.

Matt se paró entre Ava y yo.

—¿Sabes cuántos miles de escarabajos pueden vivir en el pelo de un perezoso?

—¡Qué asco! —exclamé.

—Genial. ¿Qué es lo que está haciendo? —preguntó Ava.

—Supongo que ir al baño. Una vez por semana, el perezoso baja a la tierra, hace un hoyo, libera sus intestinos de los deshechos de toda una semana y vuelve a los árboles —explicó Matt.

Ava pensó que aquello era fascinante. Por supuesto a mí me seguía encantando el animal, incluso con todos esos escarabajos bajo su pelo, pero no me apetecía ver cómo preparaba el hoyo en la jungla.

—Venga, vamos. Alicia, sigue avanzando.

Cuando llegamos finalmente a nuestra primera zona para acampar, mis esperanzas se elevaron e inmediatamente se desmoronaron. Un árbol con su base tan ancha como un coche se elevaba en el centro de un claro. Ese espacio medía más de diez metros.

—Yo esperaba…

—¿Tiendas de campaña? ¿Unas barbacoas? —comentó Alicia.

—Quizá una especie de refugio hubiera estado bien —añadió Ava.

—La selva se lo tragaría en pocas semanas —respondió Alicia—. Que exista el camino y este claro son pequeños milagros... Nuestros padres venían por aquí una vez al mes.

—¿Caminaban por el Sendero del dolor todos los meses? —pregunté.

—Para ellos no era doloroso, era divertido.

Alicia se quedó con la mirada clavada en el suelo de la selva. Después de unos segundos, Pepedro le pasó el brazo por la espalda. Sabíamos que teníamos que estar en silencio. Alicia se frotó los ojos.

—Vamos a prepararlo todo.

Miré a mi alrededor, a todas las enredaderas y las hierbas y hacia el enorme árbol.

—¿Dónde nos vamos a tumbar? —pregunté.

—No nos vamos a tumbar. Vamos a subir.

De su mochila sacó una hamaca de cuerdas, subió por el árbol y estiró la hamaca atada a una rama tan gorda como un balón mediante complicados nudos. Hank estaba obsesionado con los nudos y a veces me intentaba enseñar la manera de hacerlos.

—¿Es esa una vuelta de braza? —pregunté.

—No sé. Es un nudo —respondió Alicia.

Ató una mosquitera a una rama superior para que cubriera la hamaca y volvió a subir por el tronco hasta otra gruesa rama. Pepedro escaló desde el otro lado del tronco y comenzó a instalar otra hamaca. Alicia pidió más hamacas.

—Ahora os ayudamos porque solo tenemos unas cuantas horas antes de que amanezca; pero mañana las instalaréis vosotros solos.

Nos aconsejó que atáramos las mochilas en el árbol, si no, a la mañana siguiente estarían llenas de bichos. Una vez lista su hamaca, Ava subió por el árbol, se metió en ella y nos deseó buenas noches.

—¿Ponemos el despertador? —preguntó Matt.

—No lo vas a necesitar —dijo Pepedro riendo.

La hamaca era muy cómoda, aunque cientos de finas cuerdas se me clavaban en la espalda. Cuando quedé totalmente instalado en mi cama con la mosquitera sobre mí, Ava ya estaba roncando. Pero Matt tenía ganas de hablar. Los árboles formaban un techo de hojas que nos impedía cualquier visión, y mi hermano decía lo extraño que le parecía dormir a la intemperie sin ver las estrellas. Yo he intentado reducir mis referencias a *Star Wars,* ya que Hank es más de *Star Treck,* pero dormir en los árboles me hacía sentir como un *ewok,* aunque no tan peludo y con mejor dentadura.

Mi hermano seguía murmurando sobre las estrellas del hemisferio sur, cuando recordé los tapones para los oídos que me había dado aquel hombre en el avión. Tenía la mochila a mano, así que los encontré en uno de los bolsillos y me los puse. La conferencia de Matt quedó reducida a un lejano susurro, y la mañana llegó como cinco minutos más tarde cuando me desperté con los rugidos y chillidos de los monos aulladores en la lejanía. Me quité los tapones y los metí en el bolsillo. Matt estaba en mitad de otra charla. O eso, o la conferencia de la noche continuaba. Esta vez estaba hablando de los monos y cómo con los aullidos de la mañana estaban marcando su territorio. Yo me estiré.

Parecía que yo no era el único que se aburría con la charla de Matt. Un gran mono gris estaba colgado de una rama por encima de él. Pensé que solo nos estaba mirando, y quizá Matt también pensó lo mismo. Señaló al amigo peludo, pero el mono en realidad no nos estaba observando. Tenía otros planes. Un chorro de líquido salió desde el tronco cerca de mi hermano salpicándolo. Matt gritó y trató de esquivarlo moviéndose a un lado. La hamaca se balanceó y mi hermano se cayó de ella, pero se agarró a su cama hecha con cuerdas y estuvo colgado durante un momento antes de soltarse los últimos metros y golpearse contra el suelo.

Unos cuantos chorritos siguieron cayendo desde el árbol. Tras ellos el mono terminó. Mi hermano ya estaba a salvo.

Y yo iba a soltar la gran carcajada de mi vida cuando me di la vuelta en mi hamaca y me quedé paralizado.

Una serpiente verde bajaba por una rama a mi derecha. Su cuerpo era tan ancho como mi pierna y estaba enrollada varias veces alrededor de la rama. Ese animal mediría más de tres metros. Se fue deslizando despacio y acercó la cabeza hasta donde yo estaba. Sus motas blancas de la piel parecían píxeles. Sus líneas negras verticales en sus helados ojos grises me miraban fijamente. Pero no recordaba qué tipo de serpiente era y si su veneno resultaba mortal.

—Matt —susurré—. Olvídate del mono. Tenemos un problema.

—¿Qué? ¡Uhh! No te muevas.

—No pensaba hacerlo. Baja la voz, ¿quieres?

La serpiente movió la cabeza hacia la derecha, después a la izquierda. Me estaba estudiando desde ángulos diferentes. Algunas veces yo hacía lo mismo con las hamburguesas de queso. ¿Acaso iba a ser yo la comida de esta criatura?

—No te preocupes, es una boa esmeralda. No son venenosas —dijo Ava.

—¿De verdad?

Alicia estaba de pie debajo de mí.

—No te muevas, Jack.

—Pero no es peligrosa, ¿verdad?

Alicia no contestó. La serpiente se fue estirando acortando el espacio entre los dos. Estaba tan cerca que le podía haber hecho cosquillas. Entonces sus mandíbulas se abrieron

descubriendo unos dientes que hicieron de la dentadura de la piraña un peine de plástico. Yo chillé.

La cabeza del animal se cayó con su cuerpo desenrollado de la rama hasta los hombros de Pepedro. Alicia agarró el otro extremo de la serpiente y los dos la llevaron hasta el suelo con cuidado.

—¿Qué ha pasado? —preguntó Ava.

Durante un segundo me pregunté si mi grito habría paralizado a aquel monstruo. ¿Tendría un superpoder oculto? Pepedro mostró una cerbatana.

—Solo la he dejado inconsciente.

—¿De dónde has sacado eso? —preguntó Matt.

—Siempre la llevo encima —respondió Pepedro.

—Suerte de la cerbatana —dije yo—. Ava, me habías dicho que no era peligrosa.

—He dicho que no era venenosa, pero esos colmillos tenían mala pinta.

Pepedro dejó la serpiente bajo un arbusto y retrocedió unos pasos.

—No te habría hecho nada. Estas serpientes comen roedores gorditos, no americanos flacuchos.

Me temblaba la mano mientras intentaba alcanzar la rama que estaba sobre mí. Salí de la hamaca y deshice los nudos de mi cama desde la rama que estaba sobre ella. Después desaté la mochila y bajé del árbol. La serpiente seguía inmóvil, aunque estaba seguro de que, cuando despertara, iba a venir a por mí. Quizá se le unirían entonces también las pirañas, un par de nutrias y un bufeo con traje de novia.

—¡Vámonos de aquí! —chillé.

—¿Te encuentras bien? ¿Tienes la piel irritada? —me preguntó Pepedro.

Sin darme apenas cuenta, me estaba rascando el hombro. Mis antebrazos estaban cubiertos de ronchas, y los tobillos me picaban tanto que me los quería arrancar. Me agaché y hundí las uñas en la piel. Pepedro me dijo que parara y arrancó una hoja grande de un árbol pequeño a unos metros de distancia. Partió la hoja en dos y un mejunje pegajoso rezumó de ella.

—Estira las manos —me dijo. Lo hice y exprimió un montón de ese pringue sobre las palmas—. Ahora extiéndetelo sobre las ronchas.

Aquel mejunje parecía moco de extraterrestre, pero yo estaba desesperado. Me lo unté en los tobillos, las muñecas, por el cuello y un poco por la frente. El mejunje se secó enseguida y sentí como si mi piel estuviera cubierta de una fina capa de papel. Pero el picor… el picor había desaparecido.

—¿Estás bien? —preguntó Pepedro.

—¡Es increíble! —exclamé.

—La selva amazónica esconde muchas maravillas.

Después de guardar nuestras hamacas, no nos entretuvimos y emprendimos la marcha. Como habíamos puesto mucha distancia entre el barco y nosotros, Alicia y Pepedro empezaron a utilizar los machetes. Los bichos seguían picando, pero por lo menos las ramas y las hojas no me golpeaban la cara. Llevarme las zapatillas de baloncesto y no las botas de senderismo había sido una de las peores decisiones de mi vida. Pero no podía admitirlo. Seguí diciendo a Matt y a Ava que con mis zapatillas estaba genial y que probablemente tenían que haber hecho como yo. De vez en cuando, nuestros guías tomaban fruta de algunos árboles y nos invitaban a hacer lo mismo. Era su versión de un desayuno rápido.

Ya por la noche, paramos de nuevo en otro claro parecido al anterior. Matt preguntó si no era el mismo, pero Alicia y Pepedro nos aseguraron de que no nos habíamos perdido.

—¿Y cómo lo sabéis? —preguntó Ava.

—¿Os guiais por los cambios en la vegetación? —preguntó Matt.

—¿O por variaciones en la presión del aire? —preguntó a su vez Ava.

—No, está siguiendo esto —rio Pepedro señalando un tronco.

Alicia pasó los dedos sobre dos marcas paralelas hechas en diagonal con un machete.

—Las hicieron nuestros padres.

Atar nuestras hamacas fue más difícil de lo que había supuesto. No sé si fue algo intencionado o no, pero Matt, Ava y yo acabamos a un lado del árbol y Alicia y Pepedro en el otro. Mi hermana y yo estábamos tan cerca como para darnos la mano, y Matt se encontraba debajo de nosotros. Cuando nos instalamos en las camas de cuerda, nos quedamos quietos un momento. Los hermanos brasileños respiraban profundamente. Supuse que mis hermanos también estarían durmiendo y yo ya estaba preparando los tapones de los oídos.

Entonces Matt empezó a hablar con un tono un poco más alto que un susurro.

—¿Crees que estará bien?

—¿Te refieres a que si estará vivo? —preguntó Ava.

—Sí, eso —contestó Matt—. Seguro que estará bien. Él ha pasado por cosas peores, ¿no? —entonces se calló. ¿Acaso estaba esperando a que lo tranquilizáramos? Él era el mayor, se suponía que esa era su misión—. Es que… no lo sé.

En la selva había un silencio extraño. Como si estuviera pendiente de nuestra conversación.

—Seguro que estará bien —insistió Ava—. Vamos a dar con él y seguro que estará bien.

Aquella noche disfruté de un sueño profundo lleno de extrañas imágenes. Las nutrias gigantes jugaban al fútbol con los monos utilizando la cola para golpear el balón y marcando goles de cabeza con una puntería sorprendente. Parecía que había habido un concurso de baile con una princesa. No recuerdo el sueño completo, aunque sí que desperté sediento como un perro después de un largo paseo. No me moví hasta que miré a mi derecha, después a mi izquierda y por encima. No había serpientes. Comenzaba un nuevo día de mejor manera que el anterior.

Cuando me quité los tapones de los oídos, oí a Matt roncando y a los monos aulladores rugiendo, pero ninguno de ellos estaba tan cerca como para hacernos pis encima. Me apetecía una ducha, y no de esa clase. Ava dormía con la boca medio abierta haciendo pequeños ruidos al respirar, y un mono con un sorprendente bigote gris estaba mirándome colgado de un árbol a nuestro lado. Bostecé y bajé de la hamaca con cuidado. Pepedro y Alicia ya habían guardado las hamacas. Sus mochilas no estaban y tampoco los vi ni oí. Nunca antes nos habían dejado solos, y nunca nos habían perdido de vista. Inmediatamente me entró el pánico y mi corazón latió con fuerza y mi respiración se entrecortó.

Fui hacia el extremo del claro y escuché la extraña música de la selva. Las hojas meciéndose, la lluvia ligera, los rugidos en la distancia, las canciones de los pájaros y los insectos. Entonces, en medio de ese loco concierto, oí voces. Voces profundas y ásperas que no eran las de nuestros amigos.

11
EL ASESINO DEL LÁSER

ALGUIEN SE RIO. MIS TEMORES SE convirtieron en esperanzas. ¿Acaso era Hank? ¿Lo habían encontrado? Miré a mis hermanos. Matt seguía roncando, y Ava también estaba dormida. Y entonces tuve una idea genial. Correría por la selva para encontrarme con Hank y lo traería hasta donde estaban mis hermanos para sorprenderlos.

La risa paró, pero provenía de un lugar cercano. Caminé por la selva agachado. Las voces no se hacían más nítidas, a pesar de que seguía oyéndolas por delante de mí. A través de los árboles oí el murmullo del agua, aunque no era un río. Se parecía más a un salto de agua. Muy propio de Hank encontrar un paraíso perdido en mitad de la selva aterradora. No me habría extrañado nada si él mismo se hubiera construido una cabaña al borde de la cascada. Probablemente estaría preparando café.

La dirección del viento cambió. No, no era café, era algo mejor. Se me hizo la boca agua ante el olor de carne asada que me llegó a través del aire húmedo. Los hermanos habían dicho que Hank ahora comía carne. Lo único mejor que despertar a Matt ante la presencia de nuestro mentor sería ponerle un muslo recién asado frente a sus narices mientras dormía. Y quizá convencer a otro mono para que liberara su vejiga desde el árbol.

Comencé a correr ignorando las hojas que me daban en la cara y retirando las enredaderas que se enrollaban en los brazos. El murmullo del agua se hacía cada vez más fuerte y las voces también iban cambiando. Alguien rio de nuevo, pero no era la risa de Hank. Me incliné para retirar las ramas que había frente a mí, esta vez había un espacio vacío. Mi tobillo derecho se deslizó por el barro y me caí resbalando por las rocas hasta un río. El torbellino de la corriente me arrastró.

El agua corría deprisa hacia una catarata. Intenté agarrarme a algo para detener la marcha, pero iba rodando y tropezando por el fondo del río. Por el lado derecho me topé con una roca enorme y el agua me arrastró hacia arriba y después hacia abajo otra vez. No pude ni respirar de tan rápido como me vi de nuevo en el fondo. El agua me volvió a hundir en un estanque agitado de verde agua fresca. En el fondo me golpeé mi costado izquierdo contra una roca. El agua seguía vapuleándome, manteniéndome en el fondo y yo necesitaba respirar desesperadamente. Entonces en mi mente lo vi claro. Di la vuelta, puse el pie en una roca y me impulsé. La balsa de agua no era muy profunda. Aparecí en la superficie antes de lo que había imaginado y cogí aire. El agua se arremolinaba a mi alrededor, sumergí la cabeza y nadé con fuerza hacia la orilla más próxima. Agarré unos penachos de hierbas y algas y me lancé hacia la superficie.

Dos manos rugosas me agarraron de mis muñecas flacuchas y me arrastraron hacia la orilla. Me eché en la tierra y me quedé allí tumbado durante unos segundos con los ojos cerrados. Las manos que me habían sujetado no eran las manos de un científico. El pestilente olor de un puro encendido impregnaba el aire y se mezclaba con el olor a carne asada. Un hombre gritó algo en portugués y su voz sonó grave.

Me di la vuelta en el suelo, abrí los ojos y estiré los brazos. Me dolía todo el cuerpo. Presionó su bota sobre mis costillas y me empujó.

—Por favor… —murmuré.

El hombre era muy corpulento y tenía barba, y en su cara había marcas rojas y ronchas. Los músculos de sus mandíbulas sugerían que, en lugar de chicles, mascaba piedras. Una pequeña hoguera ardía tras él. Otro hombre, bajo y delgado y de tez morena, se encontraba junto al fuego, donde un cerdo se estaba asando ensartado en un espetón de madera hecho a mano. El hombre de la barba siguió gritándome en portugués. Mantenía la bota sobre mi estómago como si me fuera a pisotear.

Me agarré de los codos para proteger mis costillas con los brazos y respondí gritando:

—¡No hablo español!

El hombre de la barba se quedó callado. La catarata rugía detrás de él. El hombre de menor estatura se adelantó:

—¿Americano? —preguntó.

Yo asentí.

—¿Y por qué nos dices que no hablas español? Estamos en Brasil. Al otro lado hablan español —hizo una pausa y señaló hacia atrás por encima de su hombro izquierdo—. En Argentina y en Chile.

Sí, así era. Me alegré de que Ava y Matt no estuvieran escuchando. Había que entender que me estaban amenazando en mitad de la selva… ¿cómo no me iba a hacer un lío con los idiomas?

Tosí. Mi boca tenía un leve sabor a bilis.

—Lo siento, no quería ofender.

El hombre delgado ladeó su cabeza y me echó un vistazo.

—¿Cómo has llegado hasta aquí? ¿Qué estás haciendo en mitad de la selva? —me pilló mirando la bota de su compañero, que estaba medio hundida en el barro y aplastaba aún mi costilla—. No te va a hacer daño —yo asentí y despacio me quedé sentado. El hombre delgado se puso de cuclillas junto a mí—. Te lo pregunto de nuevo, ¿cómo has llegado hasta aquí?

Tenía que pensar deprisa, y no siempre se me da bien.

—Iba en una avioneta con mis padres —comencé y el hombre de la barba se retiró para ir hacia la hoguera. Sus mochilas estaban abiertas con algunas ropas esparcidas sobre una pequeña estera. Un mapa medio doblado sobresalía de una de las mochilas—. Estábamos de vacaciones —continué—. En mitad de la noche, nos cayó un rayo y el sistema de navegación de la avioneta se estropeó. Antes de estrellarnos, mi madre activó el asiento eyectable —hice una pausa para taparme la cara con las manos—. Salí disparado como un cohete. Hacía tanto frío… —me abracé como si estuviera helado—. Estaba paralizado y creía que desahuciado, pero entonces mi paracaídas se abrió, aunque no estaba del todo a salvo.

—¿No?

El hombre barbudo sacó una bolsa de lona de su mochila. Las correas de la mochila tenían cosidas las letras «SA». Estaba seguro de haber visto ese logo antes, pero ¿dónde? El hombre miraba hacia los árboles de la otra orilla y sacó una especie de pistola. Ojalá que Ava, Matt, Alicia y Pepedro estuvieran a salvo y no escondidos tratando de salvarme.

Cerré los ojos. La historia tenía que ser creíble, así que me concentré.

—No, todavía no. El paracaídas se abrió muy despacio y me estrellé contra unos árboles. Algo debió de darme en la cabeza porque estuve inconsciente. Cuando me desperté, mis padres no estaban y no pude encontrar ninguna pista de la avioneta.

Mientras su compañero miraba hacia la otra orilla, con la pistola sobre la rodilla, el hombre delgado me escrutó con los ojos entornados. Las arrugas de su frente y su mirada me recordaban a la cara que ponía Hank cuando yo trataba de convencerle de que no había enviado correos con bromas desde su ordenador. La ceja derecha del hombre se elevó ligeramente y asintió:

—Sí, sí. Ya nos conocemos tu historia. Después de perder a tus padres, has estado vagando por la selva durante unos días y entonces encontraste el camino a una ciudad escondida, construida por humanos, pero habitada por los monos inteligentes durante siglos, ¿no?

—Bueno, excepto que…

—¡Ese es el argumento de *Monkey Boy*! ¿Te crees que soy tonto?

Con las prisas, me había inventado una historia muy parecida a una película que había visto en el avión.

—Los monos no eran tan inteligentes…

—Tampoco la película —dijo el hombre—. Es además una copia de *El libro de la selva,* la historia de un niño que se llama Mowgli.

—Sí, pero me gustó la parte donde…

—¡Silencio! No vamos a empezar a discutir el argumento de películas malas. Nos vas a decir con quién has venido y cómo has llegado hasta aquí. Si no, mi amigo Roger te dará una patada en las costillas.

—¿Se llama Roger? —el hombre delgado murmuró algo a su compañero de barba, que echó el pie hacia atrás como si fuera a chutar una pelota de fútbol para marcar un gol—. ¡Vale, está bien! Se lo diré —Roger paró y dejó su pie en el suelo.

—¿Con quién has venido? Y no me digas que con unos monos.

Yo tosí. Me dolía el brazo del golpe con las rocas. Probablemente me darían también una paliza si les decía que había estado caminando por la selva con dos genios adolescentes, una joven agente deportiva y un niño cuyo pie vale un millón de dólares.

—Con mis padres. No tuvieron un accidente de avioneta. Estábamos explorando. Mi padre es un científico americano, y mi madre es japonesa, pero no sabe kárate ni nada parecido.

Sin pensarlo describí a Hank y a Min. Pero ¿por qué? Siempre me había imaginado a mis padres como guapísimos magnates de los negocios que vestían ropa de grandes diseñadores y cuyo peinado siempre era perfecto, incluso cuando conducían sus Teslas idénticos.

El hombre delgado pataleó y su frente se arrugó.

—¿Acaso crees que soy racista? ¿Por qué iba a dar por supuesto que sabía kárate?

—No, si yo solo…

—¡Chist! —susurró Roger y señaló hacia la selva cerca de la parte más alta de la catarata.

—¿Os llamáis Alex y Roger?

—¡Silencio! Algo se ha movido por ahí —dijo Alex y me agarró de la camiseta y tiró de mí. Su aliento olía a una mezcla de sal y pies—. ¿Con quién has venido?

—¡Cuidado, mamá! ¡Tiene una pistola! —grité yo entonces.

Alex me agarró por el cuello y me tumbó boca abajo en la hierba. Si no hubiera vuelto un poco la cabeza en el último segundo, me habría roto la nariz. Entonces Alex me soltó y retrocedió.

—¡Roger! —murmuró.

El hombre de la barba gruñó. Alex señaló hacia el pecho de su compañero. Un pequeño punto láser de color rojo se iba moviendo de un lado a otro bajo su barbilla. Ambos miraron detenidamente hacia la selva al otro lado del río buscando de dónde provenía. Roger soltó la pistola, puso las manos en alto y gritó algo en portugués. Toda aquella situación me resultó vagamente familiar. No por la catarata o la hoguera del campamento, pero sí por el láser. Entonces recordé *El francotirador*. Matt no estaba durmiendo. Estaba utilizando

SA
SA

su puntero láser para hacer creer a Roger que alguien con un rifle lo estaba apuntando, igual que el protagonista de la película.

Roger miró a Alex. Todavía con las manos en alto, lo señaló. Un punto de luz rojo se movía por la frente de Alex. Supuse que se trataba del puntero de Ava.

Alex me agarró del pecho y me levantó como si yo fuera un escudo humano. Entonces cogió la pistola del suelo y me apuntó al cuello. La sangre circulaba deprisa por mi cabeza y me temblaba la mandíbula. No sentía ni las manos ni las piernas, pero sí mucho frío. La selva a mi alrededor, el agua que fluía con rapidez, el asado de cerdo, los hombres aterradores... todo desapareció.

Me desperté boca arriba mirando los árboles que había por encima. Una lluvia ligera caía sobre mi cara. Escuché voces, gente que se precipitaba por la selva. Despacio rodé sobre mi costado. Alex había desaparecido y Roger también. Y ni siquiera se habían molestado en recoger las mochilas. Tomé prestado el mapa plastificado, lo doblé y lo guardé en el bolsillo. Después me metí en el río.

Mis pies se hundieron en el fondo lleno de hierba y algas. La corriente me arrastraba, pero el agua apenas cubría un metro, y la superficie no era más ancha que una piscina pública. Comparado con el río Amazonas, eso era un arroyo. Corrí para atravesarlo ayudándome de los brazos y no perdí tiempo en buscar criaturas extrañas. Esa no era zona de caimanes, o por lo menos yo esperaba que no lo fuera. Y no creía que hubiera pirañas en un río tan pequeño. Pero estaba seguro de que había serpientes. De todas formas, no iba a quedarme en el mismo lado del río que esos tipos furiosos con pistola.

Me deslicé corriente abajo, donde vi un árbol inclinado sobre el agua. La orilla estaba totalmente despejada de vegetación, dejando a la vista raíces tan gruesas como los brazos de Matt. Dejé que el río me aproximara más y me zambullí para alcanzar una de las raíces. El río me arrastraba las piernas, pero conseguí sacar del agua la rodilla, rodé por los matorrales y me arrastré por la selva como un jabalí, pero sin resoplar y sin los pelos rasposos. El camino tenía una cuesta. Eso significaba que iba en la buena dirección, hacia la parte de arriba de la catarata.

Una vez que el terreno se hizo más llano, me paré y respiré profundamente. Pero no tenía tiempo de descansar. Algo grande venía a través de la selva hacia mí. Quizá fuera un jaguar. O un jabalí gigante. Así sin mirar agarré algo que pudiera utilizarse como arma y me dispuse a defenderme. La bestia estaba casi encima de mí cuando di un latigazo.

—¡Ay! ¡Que me das en el ojo!

Se trataba de mi hermano.

—Perdona, pensé que eras un jaguar.

—¿Y entonces por qué me pegas con una hoja?

Miré el arma que sostenía en mi mano. ¿De verdad había cogido una hoja? Sí, y además mojada.

—¡Perdón! Yo…

—Chist… Vamos, sígueme.

Matt encontró el camino hacia el campamento donde Alicia, Ava y Pepedro estaban recogiendo nuestro equipaje.

—¡Jack! ¡Tu truco ha sido genial!

—¿Qué truco?

—Simular que te desmayabas —explicó Alicia—. Ava nos ha dicho que es una de tus especialidades.

Mi hermana mantuvo la mirada fija en la mochila, aunque sonreía.

—Sí, bueno, ya sabes.

Ava me pasó la mochila y la hamaca desenrollada.

—¿Y los punteros láser? —comentó Matt.

—Genial también. Ya te dije que la película era muy buena —respondí.

Matt hizo una pequeña reverencia.

—Mejor de lo que parecía.

—¿Quiénes eran esos tipos? —preguntó Ava.

Pepedro estiró la mano y la bajó hacia el suelo.

—Bajad la voz. Pronto empezarán a buscarnos y no sabemos quiénes son —dijo—. Olí a quemado esta mañana, pensamos que podía ser Hank, así que Alicia y yo fuimos a echar un vistazo.

—¿Son cazadores? —preguntó Ava.

—Nadie viene a cazar por aquí.

Saqué el mapa de mi bolsillo y se lo di a Alicia.

—Tengo esto.

Alicia desplegó el mapa plastificado sobre el terreno. Era tan ancho como mi antebrazo y tenía un color verdoso con ríos serpenteantes señalados en color azul. Había marcas rojas sobre todo el mapa. Alguien había señalado en círculos distintas zonas con un rotulador. Algunas áreas estaban sombreadas con líneas paralelas y otras marcadas con una X. El logo de la esquina inferior izquierda era el que había visto en la mochila de Roger.

—¿Sabes qué significa el logo? —pregunté.

—Sí, y lo teníamos que haber supuesto antes. Es una compañía maderera. SA, es decir, Super Andar —respondió Alicia.

—A mí me suena mucho, pero no recuerdo dónde lo he visto antes…

—Quizá en un anuncio en la ciudad —dijo Pepedro.

—*Andar* significa «suelo», ¿no? —preguntó Ava.

—Sí —respondió Alicia—. Super Andar es una empresa maderera muy conocida y, por supuesto, ellos nunca admitirán que están destruyendo la selva. Estas compañías contratan rastreadores para adentrarse en la selva e inspeccionar los árboles, y si es una zona prometedora y los árboles altos y fuertes —alzó la cabeza ante las imponentes ceibas donde habíamos dormido la noche anterior—, como esa de allí, mandan más adelante a cuadrillas para talarlos y con helicópteros los sacan de la selva como si un niño arrancara flores en un jardín.

—Eso es muy… —iba a comentar mi hermana cuando Pepedro la agarró del hombro y le señaló hacia los arbustos.

—¡Chist! Ya vuelven.

Los cuatro se agacharon y se escondieron detrás de mí. Me fui rápido hacia atrás y dejé a Matt en primera línea. Era el más grande de todos.

—¿Salimos corriendo? —pregunté.

Algo se movió a la izquierda frente a nosotros.

Era un hombre que iba medio cubierto por hojas y que apareció de detrás de un árbol. Su cara estaba manchada de barro. Llevaba pantalones verdes y una chaqueta de camuflaje. Debería de haber sonreído. Porque Hank Witherspoon nos miraba como si fuéramos visitantes de Marte.

12

LO QUE SUCEDE EN ASPEN

BUENO, QUIZÁ NO ES ESE EL MEJOR comentario. Matt y Hank me habrían recordado que, aunque existieran formas de vida en Marte, estas serían muy pequeñas, podríamos verlas solo a través de un microscopio y no serían del tamaño de un ser humano ni de la misma forma. Bien, el caso es que Hank se quedó atónito, lo que era normal. Se suponía que estábamos en Brooklyn y no en lo más profundo de la selva amazónica.

—¿Qué hacéis aquí? —susurró.

Matt fue hacia él para darle un medio abrazo entre hombres, pero de repente se detuvo.

—Pues hemos venido a…

—No importa —le cortó Hank y señaló mis zapatillas de baloncesto de talón alto—. ¿Llevas deportivas? ¿En la selva?

—En realidad, no…

—Ya hablaremos de eso más tarde. Tenemos que marcharnos de aquí, y vosotros tres no pongáis esa cara de circunstancias. Claro que me alegro de veros, pero en esta zona hay gente muy peligrosa.

—Lo sabemos —dijo Ava.

—Jack ha tenido un encontronazo con ellos —añadió Pepedro.

—¿Cómo?

Señalé hacia la catarata de detrás de mí.

—Están por ahí, en cualquier momento vendrán a buscarnos.

Hank miró inquisitivamente a los dos chicos brasileños.

—¿Por qué los habéis traído hasta aquí? ¿Y cómo me habéis encontrado?

—No fue idea nuestra —contestó Alicia y señaló a Ava—. Ella te encontró, no nosotros.

—Pero ¿cómo...? —se oyó el ruido de una rama al romperse. Hank miró hacia la selva y se quedó muy quieto. Después respiró hondo—. No es el momento para más preguntas, debemos ponernos a salvo. Seguidme, tengo el campamento muy cerca.

Mientras Hank se adentraba en la selva, no podía disimular mi emoción. Su guarida probablemente no tendría sofás, ni una consola, pero quizá tuviera un colchón inflable, eso era una posibilidad. Seguro que tendría un techo, y quizá un aparato que sirviera para hacer café. Posiblemente hasta tuviera un método para secar los calcetines. Fuimos avanzando en silencio y las imágenes del escondrijo de Hank que yo tenía en mente fueron desapareciendo. Solo pensaba en el dolor. Mis pies estaban hinchados y me escocían. Entre los dedos tenía la piel en carne viva. Me dolía el brazo, y aunque me lavaba los dientes dos o tres veces al día, sentía como si me estuvieran creciendo pelos en la lengua.

Estiré el brazo para alcanzar algo y una espina se me clavó en el pulgar. Estaba tan cansado y magullado que apenas la noté. Me quedé a la cola del grupo. Mis hermanos tampoco parecían estar mucho mejor. El cuello de Ava tenía muchas ronchas y Matt se rascaba la cabeza constantemente y estaba seguro de que una cepa mutante de piojos había colonizado sus rizos.

Nos encontrábamos en mitad de la selva y ya no necesitábamos hacernos paso a machetazos. Muy poca luz se filtraba por entre el techo vegetal, así que en el suelo embarrado tampoco crecían muchos arbustos y plantas. Una bandada de pájaros empezó a chillar mientras subíamos una colina empinada. Me caí sobre mis rodillas, estaba demasiado cansado como para mantener el equilibrio. Por delante de mí, Ava se agarraba a las raíces de los árboles para avanzar. La seguí. Me dolían las manos y me daban calambres en los dedos que también me ardían, pero me consolaba pensar que pronto llegaríamos al campamento de Hank. Íbamos a estar a salvo, incluso cómodos y tendría calcetines secos.

Entonces el famoso inventor se paró en la cima de la colina y se quedó quieto, muy orgulloso, en mitad de un claro no más grande que la cocina de nuestro apartamento.

—¡Bienvenidos!

En un primer vistazo, la zona no era diferente al resto de la selva. Después, Hank comenzó a señalar algunos detalles. Una bolsa impermeable estaba guardada por entre un arbusto. Debajo, una cocina de metal con una pequeña bombona de propano se escondía entre las hojas y unos cuantos cacharros estaban recogidos. Hank dio la vuelta a un árbol y sacó una pequeña silla hecha de ramas. Como asiento había un cojín fabricado con hojas atadas por una enredadera. Nos pilló a todos admirando su creación.

—Lo siento, solo hay una.

—¿Este es tu campamento?

Hank extendió los brazos.

—De lujo, ¿verdad? Con todo lo necesario. Por supuesto que tengo todos mis enseres bien escondidos, por si recibo visitantes indeseables.

—¿Y hay wifi? —pregunté.

—No, no tengo wifi…

—Jack, estamos en la selva —me recordó Matt.

No había ni tejado ni colchón, y seguramente tampoco habría manera de secar mis calcetines. Quise llorar. Pero Hank se rio y se acercó hasta mí con una sonrisa. No nos pasó el brazo por el hombro, pero sí nos dio a cada uno un fuerte abrazo, incluidos Pepedro y Alicia. Y aunque no llevé la cuenta con detalle, creo que mi abrazo fue un poco más largo.

Agotados, nos quitamos las mochilas de encima. Iba a colocar la mía en el suelo cuando Hank la cogió. Introdujo una cuerda por entre las correas de la mochila e hizo lo mismo con la de los demás. Enseguida hizo una especie de nudo marinero que era como el lazo de la pajarita, pero con una sola vuelta. Pepedro asintió en forma de aprobación. Entonces Hank le pasó el otro extremo de la cuerda. El chico con el pie de un millón de dólares trepó a un árbol y pasó la cuerda por una gruesa rama y lanzó el extremo hasta Matt, que tiró de él hasta levantar todas las mochilas del suelo. Cuando las bolsas estaban a más de tres metros, Hank le dijo que parara y ató la cuerda a una rama más baja.

—Perfecto. Demasiado alto para los habitantes del suelo, y demasiado bajo para nuestros amigos de los árboles.

El inventor se sentó en su silla. Entonces estiró el brazo por debajo de su chubasquero y se ajustó el cinturón, bueno, no era exactamente el cinturón. Matt me dio un codazo.

—¿Por qué miráis mi riñonera? —preguntó Hank—. Y ahora, por favor, explicadme por qué me habéis seguido hasta lo más profundo de la selva amazónica cuando yo soy capaz de cuidar de mí mismo.

Así que empezamos a hablar y Hank escuchó. Durante un rato, estuvo sentado tranquilamente con las piernas cruzadas y con la barbilla apoyada sobre su puño derecho. Cuando llegamos al punto donde nos habíamos encontrado con Bobby, se puso en pie de un salto y comenzó a caminar por el claro.

—¿Y el laboratorio? ¿Habéis contratado a alguien para que cuide de todo antes de salir?

Yo miré a Matt. Nos encontrábamos en mitad de la jungla escondiéndonos de dos tipos armados y Hank se preocupaba por el laboratorio. ¿En serio?

—Vaciamos el tanque de agua —dijo Ava—. Y Min dijo que llamaría a un servicio de limpieza para terminar de recogerlo todo. Nos dijo que conocía a alguien que podía hacerlo.

—¿Y quién es ese alguien? —gruñó Hank—. Está bien, bueno, ese tal Bobby. ¿Os dio su apellido?

—No —contesté.

—¿Me lo podéis describir otra vez?

Alicia se puso de pie y en un extremo del claro comentó:

—¿Seguro que aquí estamos a salvo?

—Segurísimo —respondió Hank—. He acampado en este lugar porque hay un nido de guacamayos en la base de la colina. Los habéis oído al subir, ¿verdad? Empiezan a graznar si alguien se acerca —entonces miró hacia los árboles—. Ahora que lo pienso, graznan por casi cualquier motivo, así que quizá no sean el sistema de alarma perfecto. Pero volvamos a ese tal Bobby. No creo que lo conozca.

—Entonces, ¿cómo sabía lo de la batería? —preguntó Ava—. ¿Le comentaste a alguien lo que estabas haciendo?

Primero Hank sacudió la cabeza, y después, miró hacia las copas de los árboles dándose golpecitos en la barbilla.

—El caso es que una vez… me emocioné un poco hablando de las anguilas. Hace unos meses estuve en una reunión en Aspen, en Colorado. Solo había unas cien personas…

—¿Solo cien? —preguntó Ava.

—Sí, bueno. Di por supuesto que era gente de confianza. Se trataba de jefes de empresas tecnológicas, millonarios, representantes del Gobierno y algunos innovadores como yo. Incluso habían invitado a un mago —no sé por qué me miró—. Jack, normalmente no asisto a cosas así, pero realizó unos juegos de cartas fascinantes. Uno de ellos…

—Hank —comenté en voz más alta—. ¿Qué dijiste en el congreso sobre las anguilas?

—Hablé sobre sus posibles utilidades: batería, pistola de descarga eléctrica, almacenamiento de energía. Lo hice con mucho detalle…

—¿Y te sorprende que se te escapara algún secreto? —añadió Alicia.

—Claro, todo lo que se habla en el congreso de Aspen es confidencial. Uno de los millonarios va por el congreso con una careta y unos auriculares que le hacen parecer un minotauro y nadie dice nada. Nada sale de Aspen.

—O eso fue lo que pensaste —señaló Ava.

—Exacto. Cuando regresé al laboratorio, tuve el presentimiento de que me vigilaban, y entonces comprobé que así era —dijo Hank en voz baja—. Ese Bobby supongo. ¿Y si él estaba en el congreso? Alguien me llamó varias veces ofreciéndose para comprar el diseño de la batería. Muchas veces. Fue muy insistente.

—¿Dijiste que no? —pregunté.

—Repetidas veces.

—¿Cuánto te ofreció? —pregunté yo de nuevo.

—Así que decidió robar los diseños, ¿no? —comentó Alicia.

—Sí, supongo.

—Hank, hemos estado preguntándonos… —dijo Ava.

—¿Tienes el USB que están buscando? —la cortó Alicia.

Hank dio unos golpecitos a su riñonera sonriendo.

—Claro. Sano y salvo —entonces se dirigió a Ava y a Matt—: Sabéis, creo que este USB es posiblemente más innovador que las ideas que guardo en él. Es muy seguro, imposible de copiar. Y cuando no lo llevo conmigo en mitad de la selva, puedo rastrear su localización al milímetro.

Mi hermana seguía intentando preguntar, pero Pepedro se adelantó:

—¿Y por qué necesitas rastrearlo? ¿Por si acaso alguien lo roba?

—Sí, una de las utilidades es esa. Pero diseñé esa característica por si lo perdía en el laboratorio, a veces no sé dónde dejo las cosas. Lo que me recuerda que, Matt, Ava, Jack, ¿habéis visto últimamente mis auriculares favoritos por allí? Los rojos… creía que los había guardado para este viaje, pero…

—Para, por favor. Ya hablaremos en otro momento de tus auriculares. Estoy intentando preguntarte algo. Te hemos dicho por qué hemos venido a buscarte, pero todavía no nos has explicado qué estás haciendo tú aquí.

—Claro que sí. Las anguilas, ya lo hemos hablado, hay mucho qué decir todavía al respecto, pero volví al Amazonas por razones distintas. Supongo que habéis descubierto el mapa, por eso estáis aquí.

—Fue ella —di un codazo a Ava.

—A propósito, ¿cómo te estás conectando con el satélite? —preguntó Matt.

Desde detrás de un árbol pequeño, Hank cogió un arco y adoptó la pose de un arquero simulando disparar una flecha hasta el dosel arbóreo.

—Es una idea antigua actualizada. Flechas con radiotransmisores atados en el asta se lanzan hacia el dosel arbóreo, y así uno puede comunicarse con el satélite.

Pasó el arco a Matt y a mi hermano se le cayó.

—Min dijo que habías retomado tus prácticas de tiro con arco —recordé.

Hank se puso firme.

—Habéis hablado con Min, ¿eh? ¿Sabe ella que estáis aquí? Supongo que estará enfadada conmigo porque…

—En realidad, todos estamos enfadados contigo —dijo Matt.

No esperaba que fuera él quien lo dijera. Hank se quedó callado y mi hermana llevó la conversación hacia cuestiones tecnológicas.

—Entonces cada una de estas señales rojas son flechas que están en las copas de los árboles enviando señales —dijo.

—Exacto —contestó Hank—. ¿Qué crees que tienen de especial esas localizaciones?

Levanté la mano para contestar. ¿Qué pasa? Es una costumbre. Hank me dio la palabra.

—¿Las anguilas?

—¡Sí! Pero no, o ese no es el motivo por el que he señalado la zona.

—¿Son esas zonas donde los madereros quieren talar árboles? —preguntó Pepedro.

—Justamente —dijo Hank y se dirigió después a mis hermanos—. Después de mi primera incursión con Alicia y Pepedro, descubrí lo que planeaban esos contrabandistas de madera, pero todos: Gobierno, autoridades y grupos de protección del medio ambiente, todos, me dijeron que no podían pararlos. No han talado todavía, y no sé para quién están trabajando realmente. Y aunque lo supiera, las autoridades no pueden acusarlos de algo que todavía no han hecho.

—¿Por qué no? —preguntó Alicia.

—No sería justo. Jack, sería el equivalente de quitarte la paga por el próximo correo de broma que vas a mandar desde mi cuenta.

—No he enviado nada desde…

—Aunque los dos sabemos que lo harás —tenía razón.

—Vale…

—Pero no te puedo castigar ahora, ¿no?

—Bien. Continúa —dijo Alicia.

—Espera. ¿Entonces estoy en un lío o no? —pregunté.

—Todavía no —respondió Hank—. Tampoco esos madereros hasta que no cometan el delito. He estado siguiendo a esos hombres durante semanas, rastreando todas sus actividades. Cuando mi satélite sobrevuela la zona, recibe las transmisiones de mis flechas y toma fotos de las localizaciones exactas cada vez que regresa. En cuanto veamos pruebas de tala ilegal, podremos enviarlas al Gobierno y a los grupos que protegen la selva. En realidad, a todos los que nos quieran escuchar.

Ava dio un rodeo por el campamento.

—Entonces, cuando esos grupos empiecen a talar, se les podrá localizar inmediatamente.

—Y las autoridades podrán detenerlos antes de que causen demasiado daño —añadió Matt.

—Exacto —respondió Hank.

—Genial —añadió Ava—. Pero, espera, tú tienes las flechas, pero ¿cómo rastrean los madereros las zonas donde quieren talar?

—Intentaron usar también transmisores, pero su sistema tiene un problema que no han considerado.

—¿Qué le pasaba? —preguntó Matt.

—*¡Electrophorus electricus magnus!* —exclamó Hank.

Pepedro contestó algo en portugués que parecía la versión brasileña de «¿Eh?».

—Es la anguila eléctrica gigante —explicó Matt—. Pero cómo…

Los pájaros comenzaron a graznar a una cierta distancia. Me puse tenso.

—Hank, ¿es esa la señal…?

—No, solo están hablando —respondió concentrándose en mi hermano—. Los madereros colocan transmisores en los árboles, pero no lo suficientemente altos. Cuando las anguilas atrapan a sus presas, generan un campo magnético tan potente que afecta a los transmisores interrumpiendo la señal.

Pepedro y Alicia miraban fijamente hacia la selva. Los pájaros se habían callado. Pepedro se volvió hacia mí y se encogió de hombros. Hank tenía razón. Esas criaturas gritaban por todo. Quizá se han enfadado con algún mono aullador. Me volví a centrar en lo que decían los genios y Hank seguía hablando sobre las anguilas eléctricas. Sabía que era un concepto científico que seguramente Matt ya dominaba a los diez años, pero no podía evitar imaginar un campo de fútbol lleno de gente que recibía pequeñas descargas eléctricas de vez en cuando. Ese sería un deporte fantástico. Veía en mi mente a un tipo esquivando a un montón de jugadores, encontrando un sitio libre en la línea de gol, dispuesto a chutar y quedando electrocutado a tres metros fuera del césped. La única forma de mejorarlo sería añadiendo alguna nutria, estas podrían ser los porteros.

—¿Por qué sonríes, Jack?

—¿Cómo? Ah, nada, continuad.

—Como iba diciendo, las anguilas hacen que su sistema no funcione —concluyó Hank.

—Es como si las criaturas estuvieran protegiendo la selva —añadió Alicia.

—Sí, pero eso no ha hecho que los madereros dejaran de intentarlo. Han recurrido a los viejos mapas para buscar localizaciones.

Matt me agarró del hombro. Ya se me había olvidado lo del mapa. Lo saqué y se lo di a Hank.

—¿Como este? —pregunté.

Hank señaló el logo de la esquina superior derecha y se lo enseñó a Alicia y Pepedro.

—¿Conocéis esta empresa?

—Se llama Super Ander —dije.

Hank aplaudió.

—¡Por fin! Ahora ya sabemos quién está detrás de todo esto. ¡Buen trabajo, chicos!

—¿Sabes cuándo quieren empezar a talar los árboles?

Antes de que Hank pudiera contestar, Pepedro se dio la vuelta y se quedó mirando por encima de mi hombro. Su expresión me asustó y mi corazón comenzó a palpitar rápidamente. Se oyeron tres pisadas y después una mano con vello negro me agarró del hombro. Me di la vuelta.

El aliento de Roger olía a tabaco. Alex arrancó el mapa de las manos de Hank. Roger quitó el arco a Matt, puso un extremo en el suelo y lo rompió pisoteándolo por la mitad.

—Ahora que ya sabemos cómo detener a vuestro amigo, empezaremos a limpiar toda esta zona —dijo Alex.

13
UN REGRESO INESPERADO

ESTABA CLARO QUE NOSOTROS ÉRAMOS SEIS y ellos solo dos. Pero tres genios, una ministrella del fútbol, su hermana adolescente y un chico de trece años, guapo pero delgaducho que tiene debilidad por las pajaritas, no eran los más indicados para pelear contra dos madereros brasileños. En el caso de que alguno de nosotros estuviera considerando esa opción, Roger retiró un poco su chaqueta dejando ver una pistola enfundada en su cinturón. Hank intentó razonar con ellos y Alicia les habló en portugués, pero nos dijeron que nos calláramos. Sería mejor decir que nos lo ordenaron. Nos obligaron a abandonar nuestras pertenencias y a desandar el camino.

—Los pájaros nos habían avisado —susurró Alicia—. Deberíamos haberles hecho caso.

Hank se encogió de hombros.

—Creía que era un falso positivo.

Alicia me miró para que le explicara la expresión, pero Alex nos hizo callar.

—¡Silencio! —gruñó.

Giró hacia la izquierda por el grueso tallo de un árbol que salía del sendero por el que habíamos subido con Hank, y empezamos a bajar una pendiente que se estrechaba en un camino más llano y pantanoso del bosque con árboles desperdigados que parecían columnas de madera dispuestas en un oscuro sótano. Delgados rayos de luz se filtraban por los pequeños agujeros del techo vegetal. De un oscuro estanque sobresalían brotes verdes. El agua se movió brevemente y después volvió a la calma. Roger iba en cabeza y comprobaba el mapa. Delante de mí, Matt se paró cuando Pepedro señaló las copas de los árboles. Un rugido, casi como un quejido, se oía cada vez más claro en la distancia.

—¿Es un helicóptero? —preguntó Matt.

—Sí, nuestros amigos ya están aquí —contestó Alex.

Roger dobló el mapa. El dosel arbóreo era demasiado espeso para ver con claridad, pero las hélices del helicóptero fueron apartando las hojas y conseguimos ver dos hombres asomándose sobre ambos patines de aterrizaje. Al descender un poco el helicóptero, los hombres que había dentro saltaron. Cada uno de ellos estaba sujeto por un cable que resplandecía y, a medida que bajaban, se iban agachando para atravesar las grandes ramas de los árboles. Uno de los hombres era bajo y delgado, con cabello rizado, teñido de rubio y frente despejada. Quizá tendría diez años más que Matt y nos sonrió mostrando una blanquísima dentadura de caballo. Al otro hombre lo reconocimos inmediatamente, y no porque siguiera llevando los pantalones cortos morados. Mi compañero de pesca de pirañas nos saludó justo al tocar tierra. Se desabrochó el cable del arnés y dio unas zancadas por el suelo embarrado.

—¡Venga ya! —farfulló Ava.

Matt se rascó la cabeza:

—¿Ha llamado a un helicóptero?

—¿Conocéis a este hombre? —preguntó Hank.

Bobby sonreía mientras extendía la mano.

—Y usted también debería conocerme, Dr. Witherspoon. Es un honor volverle a ver. Escuché su charla de Aspen —entonces nos hizo una mueca—. Tiene unos muchachos con muchos recursos, Hank. ¿Qué es lo que me traicionó, Jack?

—Que usted sabía que éramos de Brooklyn y no preguntó nuestros nombres —dije yo.

—Y que era un malísimo capitán de barco y su acento muy poco creíble —añadió Ava—. ¿Cómo consiguió la embarcación?

Bobby inclinó la cabeza hacia su compañero de helicóptero.

—Tantos detalles en tan poco tiempo… Primero dejad que os presente a mi amigo Joao.

El hombre teñido de rubio saludó con la cabeza y estrechó la mano a Alex y a Roger mientras hablaba en portugués. Estaba tan en forma como un jugador de fútbol y sus cejas eran demasiado perfectas como para ser naturales, seguro que se ponía gel.

—Ya suponía que me llevaríais hasta Hank —continuó Bobby—. Pero contacté con Joao. Afortunadamente tenía planeado venir a por Alex y Roger, así que me recogió de camino —hizo una mueca y subió los hombros—. Miradnos. Quizá me habéis dado esquinazo dos veces, contando con la vez del chófer que contraté para que os llevara en coche, pero al final me habéis llevado hasta él.

Sus palabras me resultaron como un puñetazo en el estómago. No podía ni mirar a Hank. Habíamos ido hasta allí para intentar ayudarlo y lo habíamos estropeado todo.

—¿Qué es lo que quiere? —preguntó Hank.

—Creo que ya lo sabe. Si me hubiera vendido su idea, no tendríamos estos problemas.

Joao dio una palmada en el hombro de Roger. Después me apartó de su camino, pasó la mano por un tronco en el suelo y quitó algunas hojas húmedas. Se sentó en su improvisado banco, abrió la mochila y sacó un ordenador portátil.

—Estoy preparado —dijo.

—¿Preparado para qué? —preguntó Alicia.

—Para la memoria USB —dijo Joao.

—Me la puede entregar amablemente —dijo Bobby extendiendo la mano—. O si lo prefiere, estos hombres se la quitarán.

—Se la daré amablemente —respondió Hank moviendo su riñonera frente a su cintura para rebuscar en el interior.

—No se la des —le apremió Ava.

—Haremos un trato —se interpuso Alicia frente a Hank.

—Nada de tratos. Ya perdió esa oportunidad —respondió Bobby bruscamente.

El inventor sujetaba su *pendrive* en la mano, un instrumento metálico del tamaño de un pequeño bote de desodorante. Bobby lo cogió.

—¿Es este?

—Quite la tapa —explicó Hank—. Y póngalo en un lado del portátil, se adhiere de forma magnética.

—Muy listo —respondió Bobby.

Con las cejas levantadas quitó la tapa y pasó el utensilio a Joao. Este lo revisó brevemente y lo acercó hasta la pierna de Bobby. Al momento mi compañero de pesca saltó agitándose como un personaje de dibujos animados electrocutado. Bobby empezó a saltar moviendo sus brazos y chillando de dolor.

Con mucha calma, Joao se volvió hacia Hank.

—¿Una pistola de descarga eléctrica? Muy listo. Me habría estropeado el ordenador, ¿verdad?

—Es posible —respondió Hank encogiéndose de hombros.

Alex se acercó y le quitó a Hank la riñonera para pasársela a Joao.

—Si no me dice cuál de estos objetos es la memoria USB, utilizaré la pistola sobre uno de los chicos.

Hank señaló un pequeño artilugio un poco más grande que mi pulgar. Joao quitó la capucha con cuidado y vio un cuadradito metálico para introducirlo en el ordenador. Joao dijo algo en portugués y lo metió en su portátil.

Temblando todavía, Bobby estiró los dedos y respiró profundamente. Mientras se acercaba a nosotros, las venas del cuello se le hincharon.

Matt, Ava y yo nos apartamos.

—Tranquilo, Bobby —dijo Joao sin levantar la cabeza—. Solo ha sido una pequeña descarga.

—Primero busca diseños de baterías —murmuró Bobby.

—Hay algo que debería saber sobre la batería —intervino Hank.

—Sí, claro, que ahora me pertenece —Bobby se dio la vuelta hacia Joao—. Ese es el trato.

La luz azul de la pantalla del portátil iluminó la cara de Joao.

—Claro, claro, es suya…

—Entonces, ¿para qué quiere la memoria? —preguntó Ava.

Joao levantó su mano y dibujó un círculo en el aire.

—Los árboles —dijo entornando los ojos hacia las copas y después señaló—. Entiendo que con este USB puedo controlar también su satélite, ¿verdad, Hank?

—No…

Moví la cabeza. Hank no sabía mentir y Joao no le creyó.

—No podemos permitir que tome fotografías de nuestro trabajo e impida que nos llevemos estos árboles tan bonitos. La contraseña, por favor —dijo Joao.

Ava tiró de la camisa de Hank.

—No se la digas.

—No le haga caso. Solo son unos cuantos árboles. Hay cosas más importantes por las que preocuparse.

—No son solo árboles —gritó Alicia—. Son recursos muy valiosos.

—Deme la contraseña y todos continuaremos con nuestras vidas.

—Y yo conseguiré mi diseño de batería —añadió Bobby.

Joao movió unos dedos hacia Bobby sin mirarle.

—Sí, sí, conseguirás tu batería, ya te lo he dicho.

—¿Y si no cooperamos? —pregunté.

El rubio teñido frunció el ceño.

—Cerca de aquí hay un pequeño río. Roger y Alex os obligarán a nadar con las pirañas hasta que él hable.

—No lo hagas, Hank. No deben ganar ellos —insistió Ava.

—Pero no puedo permitir que os hagan daño —respondió Hank—. No es una cuestión de ganar o perder, si no de que no nos maten.

Entonces murmuró una frase. Mi hermana fue hacia él.

—¿En serio? ¿Es esa tu contraseña? ¿Leyes científicas? Hank, ya te he hablado sobre claves de seguridad, no pueden ser tan fáciles.

—En letras mayúsculas —añadió Hank encogiendo los hombros—. Y con signo de exclamación al final.

—Y es verdad —dijo Matt. Pepedro y Alicia se lo quedaron mirando—. ¿Qué? La ciencia es ley.

Hank hizo una mueca.

¿Realmente tenían que ser unos *nerds* en un momento así? Sí, la respuesta era siempre sí.

Sin subir la mirada, Joao respondió:

—Ya estoy dentro —frunció el ceño, clicó y pasó el dedo por la pantalla—. Sí, aquí está. También los diseños. Cosas muy interesantes —dijo a Hank subiendo la mirada.

—¿Y la batería? —preguntó Bobby.

—Un poco de paciencia —contestó Joao. Un dedo índice estaba levantado mientras por la pantalla pasaba el otro. Hizo clic y movió el cursor, después asintió como si estuviera siguiendo el ritmo de un tambor—. Mi jefe no puede permitir que la gente crea que estamos talando la selva. Sería terrible para los negocios.

—Pero... eso es lo que están haciendo —dijo Ava.

—Eso lo decís vosotros, pero sin las fotografías del satélite, no hay pruebas.

—¿Quién es su jefe? —pregunté.

Joao me ignoró. Tocó un botón del portátil, se recostó y se cruzó de brazos.

—Ahora que controlo el satélite, no habrá fotos, y sin fotos no hay delito —sonrió y apagó el portátil—. Dentro de dos días, el cielo se cubrirá de helicópteros para recoger árboles de la selva, y seremos muy ricos.

—Estáis traicionando vuestra propia tierra —dijo Alicia.

—Y todo el planeta —añadió Hank.

—Sois unos criminales —gritó Pepedro.

—Quizá. Pero muy ricos —respondió Joao.

Bobby señaló el portátil.

—Un momento, ¿puedes encender el ordenador de nuevo y enseñarme el diseño de la batería?

—¿Y a mí me puede devolver mi riñonera? —preguntó Hank.

Joao revolvió el contenido de la riñonera echando un vistazo, la cerró y se la pasó a Hank.

—Sí, por qué no.

Bobby llevó la mano hasta el portátil.

—La batería, ¿puedo...?

—¡Paciencia! —gritó Joao—. Por favor, ya te lo he dicho.

—Ya estoy cansado de esperar —dijo Bobby—. Déjame ver el diseño, tenemos un trato.

Roger y Alex se interpusieron entre Joao y Bobby. El helicóptero se aproximaba.

—Amigo mío, por desgracia el trato ha cambiado —dijo Joao—. Mi jefe también quiere esas baterías. Nos quedamos con los diseños.

Los dos madereros impidieron que Bobby agarrara el ordenador de Joao. Se quedó parado con las piernas ligeramente abiertas y movió la cabeza de un lado a otro haciendo chascar la lengua.

—Eso no va a suceder, soy cinturón negro de diversas artes marciales y yo...

Desgraciadamente, Bobby no llegó a terminar la frase. El puño derecho de Roger golpeó la frente de Bobby tan rápido como el ataque de una víbora. Este cayó al suelo como una marioneta sin cuerdas.

Joao se quejó del dolor.

—Creía que solo le iba a cortar el paso.

Alex se rio y llamó a Roger en portugués. Este fue hacia Bobby y empezó a desatarle los cordones de las botas.

—¿Se va a llevar sus zapatos? —preguntó Matt.

—Nos vamos a llevar los zapatos de todos —contestó

Roger—. No os preocupéis. Estos dos son buenos guías, sobreviviréis. Pero así iréis más despacio y nos dará tiempo a terminar nuestro trabajo en la selva.

—¿De verdad va a hacer eso? —pregunté yo.

Roger tocó a Alex y este nos enseñó de nuevo la pistola. Pues sí, lo iba a hacer.

Alex se quedó mirando mis zapatillas.

—¿Por qué llevas zapatillas de baloncesto en la selva?

Me las desaté. Hank, los genios y Alicia hicieron lo mismo. Pepedro comenzó a desatarse los cordones de su bota cuando Joao se lo impidió.

—No, no. Debemos proteger el pie izquierdo. Te puedes quedar las tuyas.

Ava protestó.

—¿Lo dice en serio? ¡Eso no es justo!

—Tú no eres el futuro del fútbol brasileño —respondió Joao.

El ruido del motor del helicóptero pasó de ser un zumbido lejano a un rugido rítmico mientras dejábamos nuestro calzado en un motón. Tres cables con arneses se descolgaron a través de las copas de los árboles. El primero en colocarse el arnés fue Joao, después Alex y a continuación Roger, cada uno de ellos sujetando tres pares de botas. Joao puso sus manos juntas en signo de gratitud para burlarse de Hank.

—Gracias —simuló decir.

Alex gritó algo a su radiotransmisor. El arnés se elevó y Joao se despidió con la mano dejándonos descalzos y abandonados en mitad de la selva.

14

CHERYL AL RESCATE

ESTO PARECERÁ EXTRAÑO, LO SÉ. PERO EN EL camino de vuelta al campamento de Hank, empecé a pensar en lo agradable que sería que Min apareciera. En casa ella tenía un sentido especial por el que sabía cuándo la necesitábamos. A veces se pasaba por el apartamento para saludar en el momento en el que mis pensamientos comenzaban a volar hacia el lado oscuro. O venía a traernos sopa cuando alguno de nosotros estaba enfermo. En la selva hacía calor y yo no tenía hambre; y ya sé que esto no tiene mucho sentido, pero a medida que avanzábamos deseé que Min me trajera sopa.

Con cada paso, el barro se me metía entre los dedos de los pies. Recibía una descarga de dolor por todo el pie cuando caminaba sobre cualquier raíz o pequeña rama. Pero Matt no se quejaba y Ava caminaba por delante sin decir nada, así que yo mantenía la boca cerrada. Pepedro nos ofreció sus botas a Ava y a mí, pero como ella no las aceptó, yo tampoco lo hice.

Ahora contábamos con otro miembro en el grupo. Aunque una parte de mí deseó haberlo abandonado, Bobby vino arrastrándose detrás de nosotros intentando mantener el ritmo mientras protestaba y decía palabrotas. Mientras tanto, Hank tenía un buen humor insultante. Quizá era porque había estado solo en la selva durante tres semanas y por fin tenía compañía. O quizá, como decía, le gustaba el contacto de sus pies con la tierra. Por la razón que fuera, yo no encontraba motivos para sentirnos felices. No solo estábamos allí abandonados a nuestra suerte, sino que habíamos fracasado. El plan de Hank había fallado. La selva estaba sentenciada. Y otra persona se haría rica con sus diseños de baterías.

Cuando llegamos al campamento, Matt desató la cuerda y bajó nuestras mochilas y Hank sacó sus utensilios de cocina de entre los arbustos.

—He estado reservando esto —dijo sujetando un paquete de papel de aluminio—. Es sopa de cebolla francesa deshidratada. Es tu favorita, ¿verdad, Jack?

En realidad, era la favorita de Matt. Y tampoco era lo que había deseado antes. Min no estaba allí, pero nos había guardado sopa. Sonreí y se lo agradecí.

—Tenemos que pensar en cómo salir de aquí —dijo Ava.

—Primero tenemos que comer algo —comentó Hank—. Después, buscaremos una solución a nuestros apuros.

—Esto no es un apuro, es un desastre —apuntó Ava.

—Estoy de acuerdo con ella —comentó Alicia.

Matt encontró algunos leños por el suelo y los distribuyó sobre el claro para sentarnos en ellos. Pepedro se adentró en la selva en busca de hierbas y plantas que mejoraran la sopa. Bobby se sentó en uno de los troncos con las rodillas en el pecho y el ceño fruncido.

Alicia nos aseguró que ella y su hermano podrían llevarnos sanos y salvos de vuelta a la ciudad.

—Tal vez con algunos arañazos, algunos moratones y algún hueso roto en el peor de los casos —añadió—. Pero sobreviviremos, no hay problema. Nuestra máxima preocupación debería ser cómo parar a esos delincuentes.

—¿Podríamos tenderles alguna trampa? —preguntó Matt.

—Imposible —respondió Hank—. Ya has oído a Joao. En unos días, esto estará lleno de cuadrillas de madereros. No podemos detenerlos sobre el terreno.

—Ni siquiera pudisteis contra tres de ellos —apuntó Bobby.

—Pues usted no fue de gran ayuda —le cortó Alicia.

—No discutáis, por favor —dijo Hank—. Si tenemos que pensar en algo, debemos hacerlo en equipo. No me gustan las metáforas de deportes, pero en este caso creo que es necesario. Bobby, ¿estás en nuestro equipo?

—Fui nadador y golfista —dijo—. Competí para mí mismo, nada de equipos.

Hank respiró hondo.

—Está bien. Intentémoslo de otra forma: ¿quiere impedir que destrocen la selva o no?

—Para ser sincero, no me importa la selva —se remangó la camisa y se pasó la mano por unas ronchas rojas—. Y definitivamente no le importamos nada a la selva. Pero sí, sí que los quiero detener. Han robado mis diseños.

—Mis diseños —corrigió Hank—. Pero podemos trabajar con esas consideraciones. Veamos las opciones que tenemos.

Mientras Hank preparaba la sopa y Pepedro añadía un puñado de hierbas, hablamos sobre las maneras de intentar parar que se talaran los árboles. Por desgracia ninguna era buena. Cuando el caldo estuvo listo, acercamos nuestros cuencos de plástico. Bobby no tenía, pero Hank le pasó el suyo y dijo que él comería de la cazuela. Hank sirvió la sopa y durante unos minutos la fuimos comiendo en silencio. Matt sorbió el caldo y Hank puso mala cara, pero no dijo nada.

Para mi sorpresa, ninguno de los planes ideados por los genios, Alicia o Bobby, mencionaba el satélite de mis hermanos.

—¿Y qué hay de *Cheryl*? —pregunté.

—¿Quién es *Cheryl*? —preguntó Hank.

Lo expliqué. De la boca de Hank salió una lluvia de sopa debido a la sorpresa.

—¿Cómo? ¿Habéis lanzado un minisatélite?

Matt se ruborizó.

—Tú lo sugeriste —le recordó Ava—. Después de que llegáramos de Hawái, ¿no te acuerdas?

—Vagamente. ¿Lo construisteis? ¡Es increíble! Pero ¿cómo lo habéis puesto en órbita?

—Habías reservado dos lugares en el cohete, y cuando tu CubSat de seguridad falló, Jack mandó algunos *emails* y finalmente enviamos el nuestro a la compañía que los lanzaba.

Hank me miró y yo me encogí de hombros.

—¿Quééé? Vale, de acuerdo. Entendido —continuó y se centró de nuevo en los genios—. Estoy sorprendido. ¡Estupefacto!

—Desde luego —comenté—. Te podrán contar después cómo lo construyeron —señalé entonces a mis hermanos—. Si podéis conectar con vuestro satélite, ¿podéis hacer que fotografíe la zona? ¿Podéis programarlo para que haga lo que se suponía que el satélite de Hank iba a hacer?

—No se puede programar sin un ordenador —dijo Bobby con ese odioso tonillo de sabelotodo.

—Matt tiene su portátil —apunté.

—Aquí no tenemos wifi —comentó Matt—. Y se necesita una antena potente para contactar con el satélite.

Los tres genios permanecieron en silencio. Me habría preocupado, pero aquel fue un silencio muy particular. Sus caras carecían de expresión y sus mentes estaban tan ocupadas que tenían el cuerpo paralizado.

Mi hermano miró a Ava, y esta se volvió hacia Hank, que puso cara de circunstancias.

—La flecha podría servir como antena.

—Podríamos reprogramar a *Cheryl.*

—Entonces, si conectamos el portátil a la antena…

—¿El portátil tiene un nombre? —interrumpió Pepedro.

—Ella es la que pone nombre a los aparatos, no él —expliqué.

—Lo llamaremos *Ronaldo* —concluyó Pepedro.

—El nombre de un gran futbolista —me explicó Alicia inclinándose hacia mí.

—Bien —dijo Matt—. Pues conectamos *Ronaldo* a la flecha…

—*Pete* —sugirió Hank—. Un amigo de la infancia se llamaba Pete. Tenía siempre muchos recursos. *Ronaldo* se conecta a *Pete,* y *Pete* habla con *Cheryl.*

—Y *Cheryl* hace fotos —concluyó Ava.

Matt se mordía el labio inferior.

—Tenemos que poner a *Pete* en lo alto de los árboles para que pueda ver a *Cheryl.*

—He traído a *Betsy* —le recordó Ava.

—¿Y quién es *Betsy*? ¿Una amiga de *Cheryl*? —preguntó Alicia.

Los genios ni siquiera oyeron su pregunta.

—Necesitamos que alguien suba con *Betsy* hasta allí arriba —dijo Matt.

—Hasta el techo vegetal de la selva —dijo Hank.

—Un momento —dijo Pepedro—. ¿Nos podéis explicar de qué estáis hablando?

Hank tomó un palo del suelo, se arrodilló en el barro y comenzó a dibujar en el centro del claro. Empezó con una línea curva.

—Esta es la Tierra —después dibujó una especie de semicírculo en la superficie del planeta con una «X» en el centro—. Y esta es la selva, y estos somos nosotros.

—¿Dónde estoy yo? —preguntó Bobby acercándose hacia delante.

Hank pensó que bromeaba. Yo me incliné y señalé un punto cualquiera en mitad de la selva.

—Aquí.

—Ah, muy bien. Continúe, Dr. Witherspoon.

Nuestro mentor miraba fijamente a Bobby como si este hubiera hablado en el idioma de los klingon. Hank soltó aire a través de los dientes y continuó dibujando un cuadrado pequeño por encima del techo que formaban los árboles, mostrando la trayectoria de una flecha que atravesaba la alta vegetación.

—Cuando se lanza un satélite al espacio, este da una

vuelta completa a la Tierra cada noventa minutos aproximadamente.

—¿Así que pasa por encima de nosotros cada noventa minutos? —pregunté.

—¡Qué rápido! —comentó Bobby.

—Sí, es rápido; pero no, no pasa por encima de nosotros cada noventa minutos —aclaró Hank.

Matt asintió:

—Lleva un par de días que un satélite en una de estas órbitas vuelva a un punto por encima de nuestras cabezas, porque la velocidad de la Tierra no es la misma que la velocidad a la que se desplaza el satélite, y la órbita de *Cheryl* está un poco inclinada.

—Entonces, ¿cuándo va a volver a pasar *Cheryl*? —preguntó Alicia.

Ni Matt ni Ava sabían la respuesta.

—Buena pregunta —señaló mi hermano, que comenzó a teclear en su ordenador—. Obviamente no me puedo conectar a Internet, pero puedo mirar datos antiguos sobre la trayectoria del satélite y calcular cuándo va a pasar por encima de nosotros.

—Sí, hazlo —comentó Bobby.

—Si podemos conectar con *Cheryl,* también tendremos acceso a Internet —dijo Ava.

—¿Y puedo ver YouTube? —la pregunta salió de mi boca

como un cohete. El tipo vestido con el mono estaba durmiendo seguro, y Ava me fulminó con la mirada—. Que es broma…

—No, no vas a ver nada —dijo Ava—. Aunque podemos empezar a avisar a todo el mundo.

—Yo tengo contactos con gente del Gobierno y de organizaciones para la protección de la selva —dijo Hank—. Podría redactar unos correos poniéndolos en alerta sobre los planes de esta gente.

—Entonces, si programamos a *Cheryl* para que tome fotos y las mandamos por Internet, verán las pruebas de lo que está sucediendo —continuó Ava.

—Y el Gobierno los podrá detener —añadió Alicia—. Tiene sentido, lo podemos intentar.

—Algunos árboles se talarán —remarcó Ava.

—Pero salvaríamos muchos más —añadió Pepedro.

Matt silbó.

—Tengo buenas y malas noticias —avisó Matt—. *Cheryl* nos pasará por encima el sábado por la tarde, justo cuando empezará la tala.

—Entonces, ¿hoy es jueves? —preguntó Hank—. La verdad es que ya no sé en qué día vivo.

—Sí —contestó Alicia—. Hoy es jueves. Y los cazaremos antes de que hagan demasiado daño.

Miré a mi hermano y le pregunté:

—¿Y cuál es la mala noticia?

—Que debemos reprogramarla antes si queremos avisar a la gente.

—Y…

—Que nos va a pasar por encima dentro de… —tocó unos cuantos botones del teclado—. Cuatro horas… Será un poco más tarde de la una de la tarde.

—Así que tenemos que subir el ordenador a las copas de los árboles en menos de cuatro horas —comenté.

—Exacto.

Hank dio unas palmadas y comenzó a retorcerse las manos.

—Pues, vamos, a trabajar.

Ava comenzó a sacar sus utensilios de escalada.

—Me aseguraré de que *Betsy* esté preparada.

—Yo empezaré con los códigos para reprogramar el satélite —añadió mi hermano.

—Yo me centraré en la antena —dijo Hank.

—Pepedro y yo podríamos buscar un árbol grande que nos sirva —sugirió Alicia.

—Sería fantástico —respondió Hank—. Lo mejor es que sobrepase la altura de las demás copas.

—¿Y yo qué puedo hacer? —preguntó Bobby.

—¿Por qué no busca también un árbol que pueda servir? —sugirió Hank—. Alicia, tú y Pepedro, buscad por el sur; y Bobby, usted por el norte.

Mi colega de pesca dio unas palmadas.

—De acuerdo. ¿Cuál es el norte?

Hank se lo señaló y Bobby se puso en camino.

Así que Alicia y Pepedro tenían una misión. Los genios estaban ocupados. También Bobby tenía un trabajo: no molestar. Yo miré el dosel de vegetación y dije:

—Y… ¿cuánto tendré que subir?

Todos dejaron sus tareas y me miraron. Hank habló primero:

—No tienes que hacerlo…

—Yo peso demasiado —dijo Matt, que con las cejas levantadas añadió—: ¿No crees, Ava?

—Alguien de tu tamaño consumiría la batería de *Betsy* demasiado rápido —dijo—. Igual que tú, Hank.

—No hay problema, ya iré yo.

Alicia me puso la mano en el hombro.

—Me dijeron que eras muy valiente.

¿De verdad? Qué majos. Por supuesto, pero a veces no estaba seguro de ello. Hay una línea muy fina entre valiente y estúpido. Y con frecuencia me paseo por esa línea.

15
EL SEÑOR PEREZOSO

UNOS MINUTOS ANTES DEL MEDIODÍA habíamos terminado de prepararlo todo. Alicia me dejó su reloj de pulsera para controlar el tiempo. Los genios me habían preparado una mochila con el equipo, incluyendo el portátil, así que emprendimos el camino. Bobby se había enfadado porque Hank había escogido el árbol de Pepedro y Alicia, una ceiba, en lugar del que había elegido él. Así que pasó la mayor parte del trayecto hablando de su padre, que era el dueño del segundo mayor negocio de compraventa de coches de Nueva Inglaterra. Su padre había querido que él se dedicara al negocio de coches, pero Bobby se negó. En su lugar, comenzó a trabajar en sus propias empresas, como Kwik Kale, una cadena de restaurantes de comida rápida vegetariana; y Male Salon, un *spa* y manicura solo para hombres. Ambos negocios fracasaron.

En algún momento dejé de escuchar y comencé a pensar en la tarea que tenía por delante. Mis manos ya me temblaban. Si iba a escalar hasta el dosel vegetal de la selva, necesitaba inspirarme. Tenía que conectar con la selva a un nivel más profundo. Entonces interrumpí a Bobby y pregunté:

—¿Cómo se llama al perezoso en portugués?

—*Preguiça* —contestó Alicia, marcando mucho las últimas sílabas para que sonara como *guii-ssa.*

—¿Por qué lo preguntas? —intervino Pepedro.

—Por nada —mentí.

El perezoso no parecía de lo más inspirador. Tenía que pensar rápidamente en otra cosa. Además, me daba escalofríos pensar en los escarabajos que vivían en su pelo. Y yo iba más a menudo al baño que una vez por semana. Así que no teníamos tanto en común. Pero el perezoso era el animal al que mi espíritu estaba ligado. Yo ya no era Jack, era *Preguiça.*

Matt me recordó que en una hora tendríamos nuestra única oportunidad de contactar con *Cheryl* antes del sábado. Si la perdíamos, tendríamos que esperar otra semana, y podría ser demasiado tarde. No me lo tenía que repetir, pero él lo hizo.

Después de hablar de todos los detalles, los repasamos, una y otra vez. Después de la quincuagésima vez, dije:

—Empiezo a sospechar que no confiáis en mí.

Nadie contestó. Por lo menos no mintieron.

Me dolían los pies, pero los de Matt estaban aún peor. Se habría golpeado en los dedos por lo menos veinte veces durante el camino. Cuando llegamos a la base de un árbol enorme, miré hacia las sombras verdes de las copas. ¿De verdad que iba a subir hasta allí?

Noté que Hank me miraba. Un lado de su boca estaba ligeramente subido. Pensé en ir a abrazarle, incluso en darle ese abrazo a medias tan típico de los hombres. Pero, en su lugar, solo asentí. Mi hermana estaba muy seria. En voz baja me deseó suerte y Matt me dio un golpecito en el hombro con el puño.

—Tú lo puedes conseguir, Jack.

Pero Jack no estaba. Yo era *Preguiça*. El Señor Perezoso de la selva, y no tenía tiempo para sensiblerías.

El árbol no podía ser más alto. La base del tronco tendría por lo menos tres metros de ancho. Se ensanchaba en la parte más baja y a medida que ascendía se hacía más estrecho. Un mono que estaba escondido entre las copas de los árboles nos gritó. Enredaderas más gruesas que un bate de béisbol caían desde las ramas y me agarré a una.

—Creo que es mejor que utilices a *Betsy* —susurró Pepedro, que señaló una rama hacia la copa muy por encima de nosotros—. ¿Ves esa?

—Sí, claro —dije entrecerrando los ojos.

—Quizá podrías apuntar hacia ella.

Ava me ayudó a ponerme el arnés de *Betsy*, que era como el asiento de baño que utilizan algunos bebés, y lo abrochó alrededor de mi cintura. El artilugio estaba hecho con un carrete de cable del tamaño de una pelota de fútbol, un potente motor y una ballesta instalada en la muñeca. Siguiendo las instrucciones de Ava, conecté el fino cable del carrete a un dardo de metal y lo inserté en la miniballesta. Mi hermana me observaba para verificar que lo estaba haciendo bien. A continuación eché hacia atrás el dardo para cargar el dispositivo.

—¿Está bien?

—Todo tuyo —contestó.

Levanté la mano, cerré un ojo, apunté y disparé. El dardo salió disparado hacia el árbol llevando el cable.

Y fallé el tiro.

Dos intentos más tarde, o quizá cuatro, di en la diana. El dardo se clavó en la rama.

—Pruébalo —dijo Ava. Yo tiré de él con todas mis fuerzas—. Bien. Si se suelta, es mejor que se suelte ahora, que estás en el suelo y no a treinta metros de altura.

A veces mi hermana era demasiado directa.

—Pero no se va a soltar, ¿verdad, Ava? —dijo Hank.

Ella dudó un poco.

—No, claro que no.

Cambié el interruptor de *Betsy* hacia el modo de escalada. ¿Que si deseé haber probado antes el artilugio? Por supuesto. La última vez que estuve enredando con *Betsy* me rompí el dedo; y la última prueba que vi de *Betsy* acabó con Ava en el tanque de agua del laboratorio de Hank. Pero no había tiempo para lecciones prácticas. El motor empezó a funcionar haciendo girar el carrete y enrollando el cable como si fuera un gigante sorbiendo el mayor plato de espaguetis del mundo.

El cable se tensó y el arnés tiró de mi cintura. Y subí volando desde el suelo.

Los primeros diez metros fueron divertidos, como si hubiera saltado desde un trampolín gigante. Entonces llegué hasta la parte inferior del techo vegetal. Pequeñas ramas me arañaban los brazos y las hojas me golpeaban en la cara. Los monos y los macacos me chillaban y me paré de golpe justo a un brazo de distancia de la gruesa rama. Me estiré, la agarré con las dos manos y subí a ella hasta poder quedarme sentado. Me era imposible sacar el dardo de la rama, así que le retiré el cable y dejé el dardo en el árbol.

A *Preguiça* le quedaban dos dardos.

Sentarse a horcajadas sobre la rama era como montar sobre un caballo gigante. Con cuidado me fui deslizando hacia atrás hasta el tronco, intentando acordarme de no mirar hacia abajo.

Entonces miré hacia abajo.

El suelo estaba muy, muy lejos.

Otro mono me chilló. Y estaba a tan solo tres metros. Cuando abrió su boca enorme, esta se iluminó con su brillante y terrible dentadura. Normalmente no hablo solo, o por lo menos no demasiado. Pero en ese momento necesitaba que me dieran ánimo, y el mono no lo hacía, precisamente.

—Venga, Jack —dije en voz alta—. Eres *Preguiça,* el Señor Perezoso. Vives en los árboles, duermes en los árboles. Tú puedes hacer esto.

Por supuesto, estaba a más de treinta metros del suelo. Pero mis hermanos y Hank, mi familia, dependía de mí. Deprisa até el cable a otro dardo, levanté la muñeca con el guantelete y apunté hacia mi objetivo. Este disparo tenía su dificultad, ya que debía disparar a través de un pequeño claro entre las ramas que tenía sobre mí para intentar llegar hasta lo alto de la ceiba. Con cuidado entrecerré los ojos, apunté y disparé.

El dardo se dirigió hacia lo más alto de la ceiba, clavándose en el tronco. El cable se mantuvo en su sitio, di al interruptor y *Betsy* me llevó por entre la copa del árbol. Las ceibas son los árboles más altos de la selva. Se alzan sobre lo que tienen a su alrededor como si fueran jugadores de baloncesto de más de dos metros que pasean por una calle llena de gente. Y yo en ese momento me sentí como esos gigantes, mirando hacia abajo desde lo más alto del dosel de árboles.

Luego, mi hombro chocó con el tronco. El dardo estaba hundido en la madera. Dejé el cable conectado al dardo y puse el interruptor en posición de seguridad. Ava me explicó que, de esa forma, el cable rebobinaría lo suficiente para seguir subiéndome; pero, si me caía, *Betsy* se bloquearía e impediría que me precipitara de golpe al suelo.

El tronco de aquel árbol gigante no llegaba a su fin, si no que se dividía en cinco ramas en la parte superior, como si alguien estirara los brazos y los dedos hacia el cielo. Me quedé quieto en un sitio entre las ramas, recostándome sobre una de ellas y mis piernas bloqueadas por otras dos. Los rugidos de la selva se iban silenciando. Con la mano hice presión sobre la madera. Esta era muy tierna, pero el tronco todavía parecía sólido. Casi todas las hojas de las ceibas se habían caído, así que la vista era muy clara, por lo que eché un vistazo a mi alrededor. Las nubes se habían disipado, pero una capa de niebla se había instalado en las copas de los árboles que tenía debajo. El espeso dosel me recordaba a un campo ondulado y desigual lleno de colinas y hoyos, alfombrado de hierba que nunca hubieran cortado. Comprobé el reloj de Alicia. Quedaban quince minutos para que *Cheryl* sobrevolara por el horizonte.

Pero no estaba precisamente en la posición ideal. Un poco más arriba y podría colocar a *Pete* para que la antena conectara perfectamente con el satélite. Respiré hondo y subí, escalando un poco más. La rama que tenía sobre mí era más blanda de lo que había creído, y húmeda. Mis dedos resbalaron. Intenté agarrarme, pero me escurrí y de repente me encontré en el aire. Aterricé descalzo sobre la rama de abajo y por un segundo intenté mantener el equilibrio sin poder sujetarme a nada.

Y además la rama se rompió. Mis pies resbalaron a lo largo de la madera escurridiza y empecé a caer hacia el suelo de la selva.

16
EL TECHO DE LA SELVA

EN LA LARGA HISTORIA DE LA HUMANIDAD, HA habido muchos tirones de calzoncillos. Aquiles, el gran héroe griego, se lo hizo a sus amigos cuando estos tomaron prestada su lanza; y muchos presidentes ocasionaron fuertes dolores a sus vicepresidentes. Pero el tirón de calzoncillo que *Betsy* me dio en el trasero cuando, de repente, se bloqueó y dejó de soltar cable se puede clasificar como uno de los más dolorosos. El fuerte tirón que me dio un grandullón de doce años con el que compartí durante unos días la habitación cuando yo tenía ocho años quedó muy por debajo de este.

Respiré despacio por la nariz y comencé a comprobar varios puntos de seguridad como el capitán de una nave espacial. Mi cerebro estaba trabajando y moví los dedos de las manos. Los dedos de los pies me seguían quemando y los pies me dolían. Me sentía como si dos trabajadores de la construcción me hubieran golpeado el trasero con una enorme maza; y no voy a hablar de lo que sentía por la parte de delante. Pero había sobrevivido, y estaba seguro de que volvería a caminar. Con el tiempo, claro. Y tenía la mochila colgada de mis hombros, lo que significaba que el ordenador y el resto de los instrumentos estaban a salvo.

El dosel de árboles quedaba a unos cuerpos de distancia. En ese momento mi punto de destino se encontraba muy por encima de mí. Y *Betsy* emitía unos pitidos.

—¡Ava! ¿Por qué está pitando esta cosa? —grité hacia abajo.

Mi hermana contestó, pero no la pude oír. El dosel era tan ruidoso como un concierto de rock lleno de animales enloquecidos y sobreexcitados. Comprobé el reloj y me entró el pánico. Solo me quedaban doce minutos y necesitaba llegar a la copa del árbol. Puse el interruptor de Betsy en la posición de funcionamiento y el pitido comenzó a ser cada vez más ligero y lento. ¿Era aquello una buena o mala señal?

—Que no sea la batería… —murmuré.

Betsy me empezó a elevar a una velocidad dolorosamente lenta, y seguí repitiendo aquella frase como una oración, pero eso no iba a cargar la batería.

Betsy se paró definitivamente a tres metros de la rama donde se había clavado el dardo y yo me quedé colgando sin poder sujetarme a nada. Agarré el cable e intenté subir a pulso, pero nunca se me había dado bien ese ejercicio. En la clase de gimnasia una vez quedé séptimo en una competición entre veinte niños…, o quizá había quedado decimoséptimo... De todas formas, el cable era demasiado fino como como para agarrarlo bien, y no avancé mucho.

El tronco del árbol se encontraba a unos cuatro metros y estaba lleno de ramas rotas. Si me acercaba lo suficiente, podría utilizarlas como escalera para subir. Con un poco de suerte. Así que me balanceé hacia delante y hacia atrás. El reloj de mi cabeza empezó a avanzar y finalmente pude alcanzar una de las ramas. Se me clavó una astilla en el pulgar. Me retorcí de dolor, pero me agarré fuerte y dejé de balancearme. Puse el pie derecho sobre otra rama rota, encontré sitio para el pie izquierdo y comencé a subir. Esta vez me apoyé sobre una rama lo suficientemente gruesa como para que no se partiera. La posición no era ideal para contactar con *Cheryl*, pero era lo bastante buena, y no podía arriesgarme a seguir subiendo. Las ramas por encima de mí eran más finas y me quedaba poco tiempo. Mi corazón iba a mil por hora y me temblaban las manos. Llevé la mochila hasta el pecho y desabroché la cremallera del compartimento más grande. Sintonicé el canal *Preguiça* y respiré despacio.

Encuentra al perezoso que llevas dentro.

Relájate.

Volví a comprobar el reloj. Quedaban siete minutos. La prioridad era instalar la antena. Hank había modificado el asta de la flecha para poder conectarla al ordenador, así que la extendí con cuidado por la rama. Pepedro había quitado algunas correas de la mochila para que la pudiera atar bien a la rama, así que sujeté con ellas la parte de la antena que estaba a mi lado. Después, siguiendo las instrucciones de Hank, doblé hacia el cielo la parte superior.

Seguidamente saqué el ordenador de Matt. Me seguían temblando las manos. Intenté no pensar en lo mucho que mi hermano apreciaba esa máquina, y lo fácil que era que se me escurriera y que cayera en picado hacia el suelo.

Me quedaban cuatro minutos.

Puse el ordenador portátil encima de la mochila muy pegado a mi pecho. Un cable pequeño se extendía de la parte inferior de la modificada flecha, así que lo agarré y lo enchufé en el portátil. Una brisa ligera entró por las copas de los árboles. Las ramas se mecieron suavemente abriendo un claro por el que vi el cielo. El lugar era mejor de lo que había imaginado.

Me quedaban tres minutos cuando puse en marcha el ordenador. Los sesenta segundos siguientes me parecieron como un millón de años. La pantalla se encendió y tecleé la contraseña de Matt, el cual me avisó de que la cambiaría cuando llegara al suelo, y suspiré con tranquilidad cuando la máquina arrancó. Por suerte, Matt había hecho que esta parte fuera rápida. Una vez lanzado el programa, lo único que tenía que hacer era dar al gran botón de «conectar» que aparecería en la parte inferior derecha de la pantalla, y su programación haría el resto del trabajo.

Yo lo intenté, de verdad que lo intenté; pero el portátil de Matt había elegido ese momento para tener una pataleta. El reloj señalaba que quedaban solo dos minutos y la pantalla seguía sin encenderse. Yo movía el dedo por el cursor del portátil, pero no ocurría nada. La flecha de la pantalla, que necesitaba mover unos centímetros hacia la derecha, se negaba a desplazarse. Lo intenté todo: telepatía, cantos, súplicas. Ava me habría sugerido que reiniciase el ordenador. Hank, que tuviera paciencia. ¿Y Pepedro? Seguramente daría una patada al ordenador con el pie izquierdo.

Con desesperación, comencé a tocar algunos botones. No ocurrió nada hasta que toqué el tabulador. Un rectángulo muy fino apareció alrededor de un botón que ponía «conectar». Le di al *enter* y el portátil de Matt empezó a colaborar.

—¡Bien! —exclamé.

Dos macacos sentados en otra parte del árbol gritaron como si me estuvieran respondiendo o piropeándome con ese toque mío de genialidad. Eso o me estaban mandando callar.

Mientras que el programa trabajaba solo, abrí la cuenta de correo de Hank y envié los mensajes que había hecho él en borrador.

Una rueda azul apareció en mitad de la pantalla y una barra verde la empezó a rellenar, moviéndose en el sentido de las agujas del reloj. Primero un cuarto, después la mitad. La barra avanzaba despacio, pero de forma segura. Las nuevas órdenes estaban siendo transmitidas al satélite, y la máquina estaba procesándolas.

Cheryl estaba escuchando y no era producto de la magia ni de ningún milagro. Era pura ciencia, el resultado de la genialidad de mis hermanos. ¿Que si estuve tentado de ir a YouTube y comprobar si mi vídeo había superado los dieciséis millones de visualizaciones? Por supuesto, pero me resistí. Mientras el programa y el servidor de correo hablaban con el satélite, abrí el navegador. El portátil estaría en contacto con el satélite durante unos minutos. Después *Cheryl* habría ya pasado y *Ronaldo* no tendría conexión.

En capacidad mental, no puedo competir con mis hermanos, así que aprovecho cualquier momento para leer o investigar algo que ellos no sepan, de esta forma gano algo de ventaja. En lo alto del árbol, tecleé entrecomillado el nombre de la compañía de maderas para suelos, Super Andar, y cliqué en el botón de buscar. La conexión era demasiado lenta. Solo quedaban treinta segundos cuando abrí la página web de la empresa. No parecía haber nada interesante a primera vista, así que me fijé en unas hileras de fotos. Cada una de ellas pertenecía a los directores de la empresa. Nuestra némesis de pelo teñido apareció en la tercera fila. Pero esa no fue la foto que me sorprendió. Arriba del todo, sola en una fila aparecía la fotografía de la directora de la compañía a quien Joao había mencionado, y era alguien que conocíamos. Alguien que nos había «ayudado» desde que llegamos a Manaos. Sobre la selva observé la imagen de una mujer que debía haber tenido una verruga al final de su retorcida barbilla.

17
OSCURIDAD BAJO EL AGUA

YA GUARDADOS TODOS LOS ÚTILES, QUITÉ el cable, le di cinco vueltas alrededor de la rama y lo volví a sujetar al dardo. Aunque *Betsy* ya no tuviera batería, sí me podía bajar liberando el cable del carrete. La duda era la velocidad a la que iba a bajar. ¿La respuesta? No fue a la velocidad de la luz, pero sí que pensé que era parecido. Las hojas y las ramas me golpearon mientras descendía por el dosel arbóreo. Cuando vi el suelo de la selva y me fijé en que todo el mundo me estaba observando con esperanza, me di cuenta de otro misterio.

¿Cómo iba yo a parar para no estrellarme?

Rápidamente comencé a tocar botones e interruptores esperando que quedara una gota de batería. Ava estaba gritando. El ruido del cable al desenrollarse varió, el carrete estaba vacío y, a un par de metros del suelo, *Betsy* me dio el segundo megatirón de calzoncillos del día.

Creo que fue peor que el primero.

Gemí y Matt y Hank me ayudaron a quitarme el arnés. Hank se inclinó y me miró a los ojos mientras me preguntaba si estaba herido.

—No, estoy bien —respondí.

—Has sido muy valiente, Jack —Hank movió la cabeza—. Siempre me…

—¿Ha funcionado? —preguntó Matt cortándolo.

—Un momento, Hank estabas diciendo algo…

—No te preocupes de eso —intervino Ava—. ¿Has llegado a tiempo?

Levanté los dos pulgares. Pepedro gritó de alegría. Hank agitó los puños cerrados y dio unas palmadas a Matt en la espalda. Algún día le pediría que terminara aquel cumplido.

—¿Ha funcionado todo? —preguntó Alicia.

—Creo que sí. Todo salió según lo planeado. Bueno, casi.

—¿Casi? —preguntó Hank.

No necesitaron que les contara lo de mi caída.

—Envié los *emails* y transferí el programa. Y descubrí algo más —dije.

Cuando conté que doña Maria dirigía Super Ander, Ava y Matt se sorprendieron mucho. Hank se quedó pálido. Los brasileños se quedaron horrorizados de que una ciudadana tan importante de Manaos planeara destrozar una buena parte de la selva. Bobby pasó despacio el dedo del pie por el barro. Alicia le señaló.

—Usted lo sabía, ¿verdad? Siempre ha sabido que trabajaba en Super Ander.

Bobby se encogió de hombros.

—¿Cómo ha podido mentirnos? —preguntó Pepedro.

—Nunca he mentido —dijo Bobby—. Bueno, eso no es cierto. Sí, he mentido.

—Muchas veces —añadí.

—Vale. Pero nunca sobre doña Maria. Simplemente no me preguntasteis por ella.

—¿Cómo se asoció con ella? ¿Fue quien le mandó al laboratorio de Hank? —preguntó Ava.

—No, eso fue cosa mía. Estuve merodeando por el vecindario hasta que descubrí cómo colarme —miró entonces a Hank—. Por cierto, lo del contenedor de basura es un buen truco.

—¿Cuándo la conoció? —pregunté.

—Ella contactó conmigo cuando disteis esquinazo al chófer de la limusina. En cuanto supo que estaba detrás de usted, Hank, doña Maria fue quien planificó que llevara la embarcación para que os siguiera a vosotros cinco hasta él. Y cuando me disteis plantón, me las apañé para contactar con Joao y que me recogiera con el helicóptero.

—¿Cuánto le pagó ella? —preguntó Pepedro.

—No tuvo que pagarme nada —admitió Bobby—. Teníamos intereses parecidos. Queríamos encontrar al Dr. Witherspoon. Queríamos que parara su actividad contra los madereros y yo quería su diseño de batería.

—Parece que ella también lo quería —añadí yo.

—Bueno, sí, no conté con eso.

—¿Y ahora, qué? —pregunté.

Matt no tenía respuestas, ni Ava. Esperamos a que hablara Hank, y él calló unos segundos antes de contestar:

—Recogeremos nuestras cosas y volveremos a Manaos. Debemos asegurarnos de que las fotos del satélite lleguen a las autoridades correctas. Además, quiero que me devuelvan mi USB.

Nadie reaccionó. Yo no lo quería decir, menos mal que Matt se me adelantó:

—Lo siento, Hank, pero no puedo caminar descalzo tres días más por la selva. Necesitamos ayuda.

—Teníamos que haberla pedido cuando estabas en el dosel arbóreo, Jack.

—No te preocupes, ya lo he hecho —dijo Hank. Bueno, en realidad, lo ha hecho Jack al mandar los correos. El río más cercano está a unas pocas horas de aquí. Vendrán a buscarnos pronto.

Casi dos horas más tarde, después de coger nuestras mochilas del campamento, llegamos a la orilla de un pequeño río y encontramos el Von Humboldt fondeado en el centro, con la proa señalando corriente arriba.

—¿Qué hace aquí el barco de Bobby? —pregunté.

—¿El barco de Bobby? ¡Ese es mi barco! —apuntó Hank.

—¿En serio? —preguntó Matt.

—Creo que también mentí sobre eso... —comentó Bobby.

—Yo diseñé este barco pensando en el Amazonas.

—Sí. Y mis amigos lo robaron —confesó Bobby.

—¿De verdad? No tenía ni idea. He estado muy ocupado aquí en la selva —Hank se encogió de hombros.

Pepedro señaló el Von Humboldt.

—¿Cómo ha llegado hasta aquí? Dejamos el barco a muchos kilómetros de distancia.

—Y en la orilla de un río distinto —añadió Alicia.

—Uno de los *emails* que has enviado, Jack, era para el Von Humboldt con las coordenadas para que nos recogiera aquí, no pensaba que vendría tan pronto.

—Tenía que haberlo sabido —dijo Matt—. Le pusiste el nombre del gran científico, Alexander von Humboldt.

—El que se electrocutó con anguilas eléctricas —añadí.

—¡Exacto! Impresionante, Jack.

—¿Cómo navega? —preguntó Ava—. Supongo que tiene escáneres buscando obstáculos en la superficie del agua...

—Y un GPS cuando está bajo la cobertura del satélite, claro —añadió Matt.

—¿Y los obstáculos de debajo del agua? —insistió Ava.

—En eso me ayudó Jack.

—¿Él? —preguntó Matt.

Si hubiera llevado la pajarita encima, la habría estirado.

—No directamente, pero su sugerencia de las anguilas me llevó a interesantes descubrimientos. Las anguilas eléctricas no solo aturden a sus presas con sus descargas. Utilizan también un campo magnético para localizar los obstáculos y los peces. Así que copié su técnica y creé un sistema de navegación para barcos —dijo Hank—. El Von Humboldt puede escanear y buscar obstáculos por encima y por debajo de la superficie.

Mis hermanos estaban asombrados. Pero desvié mi atención hasta otro asunto. Había una distancia de unos quince metros desde donde estábamos hasta el barco. El agua estaría infestada de pirañas.

—Eso es genial. Aunque ¿cómo vamos a llegar hasta allí? —pregunté.

—Oh, esta es mi parte preferida —dijo Hank.

Alrededor de su cintura tenía un cinturón ancho en el que apoyaba su mochila. Hurgó en los bolsillos y sacó una pequeña radio con una antena. Pepedro y Alicia le estaban mirando.

—Sé lo que estáis pensando, pero la radio tiene poco alcance. No podía utilizarla para pedir ayuda.

—¿Y para qué sirve? —preguntó Alicia.

Hank subió tres veces seguidas las cejas:

—Es un control remoto —dijo mientras presionaba un motor a un lado de la radio. Dos paneles se abrieron en el techo de la cabina. Una vara de aluminio se desplegó desde un compartimento abriéndose como una especie de grúa con un cable de acero en su extremo. La grúa levantó una gran caja de plástico del tejado, la balanceó sobre el Von Humboldt y la bajó hasta el agua.

La caja se desplegó antes de tocar el agua. Una versión un poco más grande de nuestro bote de pesca se infló rápidamente y cruzó hasta nuestra orilla dirigiéndose hasta Hank.

—¿Lo estás dirigiendo? —preguntó Ava.

—No. Rastrea la radio y se dirige él mismo hasta el control remoto.

Pero el bote no llegó hasta Hank. Bobby se metió en el agua hasta las rodillas y agarró su proa, girándolo un poco. Entonces apagó el motor.

—¿Qué hace? —preguntó Hank.

Alicia se empezó a aproximar hasta el bote cuando Bobby levantó la mano que tenía libre.

—¡Para! —exclamó.

—¿Por qué?

Bobby iba retrocediendo despacio por el agua.

—¿Qué está haciendo, Bobby? —preguntó Hank.

—Vuelvo a Manaos, pero solo.

—¿Qué está diciendo?

—¿Que qué estoy diciendo? Para ser un genio, no es usted muy rápido. Llevaré este bote hasta su maravilloso barco, volveré a la ciudad y robaré el USB a esa vieja bruja avariciosa.

—¿Y usted la llama avariciosa? Pero si usted también es un ladrón —le cortó Ava.

Hank caminó en el agua con las manos hacia arriba.

—Bobby, por favor, hablemos de esto.

Bobby siguió retrocediendo, el agua le llegaba por la cintura.

—¿Y si le pagamos? —pregunté yo.

—No, no podemos, ¿lo recuerdas? —me corrigió Matt.

—Bueno, Hank le puede pagar.

—¿Ah, sí?

—Esto es ridículo —intervino Alicia—. Traiga el bote.

Mi hermano abrió mucho los ojos. Miraba el agua que rodeaba a Bobby. Algo se movía en ella, algo largo y oscuro. Pepedro también lo vio. Era demasiado largo para ser un caimán, y demasiado oscuro para ser un bufeo.

—Espere —dijo Hank—. Jack tiene razón, yo puedo pagarle. ¿Cuánto quiere?

—¿Me está ofreciendo dinero? Yo no quiero dinero —respondió Bobby—. Tengo dinero. Lo que quiero es fama. Me encantaría pasear por un aeropuerto y ver en un quiosco de prensa una de esas revistas con mi imagen… en la portada.

Con un traje ajustado y una corbata morada, con un aspecto informal, elegante… incluso algo genial.

—¿Y eso qué tiene que ver con nosotros? —preguntó Alicia.

—Esos diseños de baterías me harán el mejor inventor del siglo XXI. Revolucionaré la teletransportación, y esta vez mi padre reconocerá lo brillante que soy.

—Diremos a todo el mundo que robó los diseños. ¡Nadie le creerá! —dijo Ava.

La oscura forma estaba tras él dando vueltas.

—Oh, princesa, no sabes nada de la vida. Os tendré atados a los tribunales mientras me hago rico.

Apretando mucho los dientes, Ava le gritó:

—¡No me llame princesa!

—Te llamaré lo que me apetezca. Si es que sobrevivís en la selva y regresáis a Manaos, yo me habré ido para entonces y comenzaré a producir las baterías.

Bobby comenzó a alejarse. La forma oscura subió a la superficie a su izquierda y nadó hacia el bote. Él no la había visto todavía, y quizá deberíamos haberle avisado, pero iba a abandonarnos. Y Matt había dicho que esa especie no era mortal. Quizá dolorosa, pero no letal.

—¡Espere! —grité.

Él se paró.

—¿Qué? Ya hemos terminado.

—Seguro que podemos hacer un trato. La batería fue también idea mía. ¿Y si le damos el cinco por ciento?

Hank levantó mucho las cejas.

—¿Tu idea, Jack?

—No, no, no —dijo Alicia moviendo un dedo—. Cinco por ciento es mucho. Tres por ciento.

Bobby chascó la lengua.

—Os quedaréis con el cero por ciento —miró por encima de nuestras cabezas hacia los árboles—. Suponiendo que salgáis vivos de este lugar. Bueno, tengo trabajo que hacer.

A mi lado, Pepedro lanzó una piedra a medio metro de la cintura de Bobby. Al instante la anguila eléctrica gigante se enrolló en su pierna derecha y le descargó novecientos voltios. Cada músculo de su cuerpo se tensó de forma inmediata. Sus ojos se salieron de las órbitas y Bobby soltó la proa del pequeño bote y cayó boca abajo sobre el agua.

18
CRÍMENES CONTRA LA SELVA AMAZÓNICA

EL VON HUMBOLDT LLEGÓ A MANAOS TRAS tan solo dos días de viaje, ya que Hank lo seguía tripulando mientras dormíamos. Comimos mucho mejor que en el viaje de ida, pues en la bodega había un congelador que ninguno de nosotros había visto, y que estaba lleno de frutas y verduras congeladas. La ducha que funcionaba con energía solar y se extendía desde un compartimento oculto fue una de mis sorpresas favoritas. Lo más parecido a una ducha que cada uno de nosotros había visto fue el regalo que Matt había recibido del mono. Todos necesitábamos una buena limpieza, incluido Bobby, aunque no le permitimos que se diera ese lujo. Quisimos dejarle en la orilla de aquel río, pero le habría sido imposible sobrevivir, así que lo encerramos en el camarote más pequeño como un prisionero.

La ciudad apareció en la distancia a última hora de la tarde del sábado, y Hank nos avisó para que fuéramos a ver su portátil. Por fin se había conectado a Internet, y nadie sabía cómo reaccionar cuando supimos que *Cheryl* había hecho su trabajo según lo planeado. El satélite había sido reprogramado y había realizado las fotos en los puntos señalados en el mapa de Hank. Y eso también significaba que teníamos pruebas de que Super Ander había empezado los trabajos de tala. En algunas fotos se veía cómo zonas de la selva que antes habían sido verdes estaban ahora deforestadas.

—No me lo puedo creer —exclamó Alicia.

Hank cerró la pantalla que mostraba las imágenes del satélite.

—Sé que es duro mirarlo, pero ahora tenemos pruebas —afirmó—. Se ha alertado a las autoridades y pueden hacer que paren de causar daño. Pero esto solo es una pequeña operación. Si queremos que no suceda lo mismo en otro lugar de la selva, tenemos que parar a doña Maria.

—Para matar a la serpiente, hay que cortarle la cabeza —dijo Pepedro, que se fijó en mi expresión antes de reír—. No, no me has entendido, no estoy diciendo que le cortemos la cabeza.

—Debemos mostrar a todo el mundo que es ella la que está detrás de todo —dijo Alicia.

—Primero debemos encontrarla —les recordó Ava.

—¿Y en su fábrica? —sugerí.

—Tengo una idea mejor —dijo Hank abriendo el programa que había diseñado para seguir el rastro de su USB.

Un mapa detallado de la ciudad apareció en la pantalla, junto con luces verdes en forma de diana que parpadeaban en lo que parecía ser el centro de Manaos.

—Joao dijo que se lo iba a entregar a su jefe. Si sabemos dónde está el USB, la encontraremos a ella.

Matt señaló una especie de diana.

—¿Qué es eso?

—Quizá otra de sus fábricas —supuso Pepedro—. O un edificio de oficinas.

Hank dio al *zoom.*

—No, no es un edificio de oficinas —dije. Los nombres de las calles me eran familiares, habíamos ido por allí en coche cuando llegamos a Manaos—. Es el Teatro de la Ópera —el recuerdo de doña Maria dándome un manotazo me llegó de repente. Podía ver su despacho y las preciosas tarjetas de visita, y las entradas—. Iba a ir a la función inaugural de la temporada de ópera.

Ava asió el ordenador y empezó a teclear.

—El estreno de la ópera es justo esta noche —dijo y abrió otra página. Frunció los labios mientras leía—. Según la cuenta de Twitter de doña Maria, iba a ir al teatro. También ha etiquetado a otros usuarios. Creo que uno de ellos es el alcalde. Parece que Joaquim va a ir también.

—¿Crees que también están implicados en este asunto? —pregunté.

—O quizá solo sean espectadores —dijo Pepedro.

—¿Cómo vamos a recuperar el USB con tanta gente a su alrededor? —preguntó Matt.

Los tres genios me miraron a mí buscando una respuesta. ¿Por qué yo? Bien, no solo era yo el que subía a los árboles, saltaba por las ventanas y tocaba botones a boleo. Hank era un inventor e investigador famoso en todo el mundo. Ava podía construir cualquier cosa y aprender un idioma durante un viaje en avión. Matt guardaba más conocimiento científico en su cabeza llena de rizos que en cualquier libro de texto.

Los tres eran brillantes. Pero era yo el que siempre tenía un plan.

Abajo Bobby daba golpes contra la puerta cerrada de la cabina. Le tenía que haber llevado la cena, pero se me había olvidado. Mi compañero de pesca podía esperar. Con las manos entrelazadas a la espalda, miré hacia la ciudad.

—No sé muy bien cómo vamos a recuperarlo, aunque sí sé una cosa.

—¿El qué? —preguntó Hank.

—Tú y yo vamos a necesitar llevar esmoquin.

El Teatro del Amazonas estaba a escasos minutos en taxi desde el embarcadero del Von Humboldt. Nuestra separación de Bobby no estuvo llena de emoción. Estaba tan contento de ver que nos alejábamos en el taxi, como nosotros de que se alejara caminando por el muelle y de nuestras vidas.

Alicia conocía una tienda de ropa de lujo cerca del teatro, así que después de dejar a Pepedro, Ava y Matt en una tienda de electrónica donde esperaban encontrar un proyector, Alicia nos llevó hasta allí a Hank y a mí. Explicó a la dependienta nuestra situación en portugués, o más bien la necesidad de llevar esmoquin. Pasaron cinco minutos y hombres con buenos trajes nos rodearon para tomarnos medidas, extendiendo la cinta métrica por los hombros y alrededor de la cintura. Intenté actuar con naturalidad y madurez. Como si estuviera acostumbrado a hacer estas cosas. Pero, entonces, un hombre calvo se quedó cerca de mi estómago y me hizo cosquillas. ¿Lo mejor de todo? También vendían calcetines. Calcetines limpios, secos, que hicieron que mis pies empapados de la selva quisieran bailar de alegría.

En la misma manzana encontré una tienda con un par de zapatillas de baloncesto, y cuando Hank y yo fuimos al parque que estaba frente al famoso teatro, en él nos estaban ya esperando mis hermanos y el niño con el pie de un millón de dólares. Hank me ajustó la pajarita.

—Estás muy elegante —dijo.

Su pajarita estaba un poco torcida, pero no le dije nada. Lo comprobé todo.

—Vas bien peinado, Jack —dijo Ava—. No sé por qué no voy yo también.

—Ya te lo he dicho. Un niño y un adulto es discreto —dije

yo—. ¿Pero dos niños solos? Levantaríamos sospechas. Además, tú tienes un papel importantísimo. ¿Has conseguido lo que necesitabas?

—Sí, más o menos —comentó Matt.

—Todo irá bien —añadió Ava—. ¿Estáis preparados?

—Estamos preparados —contestó Hank.

—¿Hacemos una piña para animarnos? —preguntó Pepedro.

Los científicos no hacen una piña. Pero, de todas formas, Hank me pasó un brazo sobre mi hombro y otro sobre el hombro de Ava. Los demás también se unieron a nosotros.

—¿Y ahora qué? ¿Qué diría un equipo de fútbol? —preguntó Hank.

—Si fuéramos un equipo de fútbol, seríamos el más extraño del mundo —comentó Pepedro.

—¿Del mundo? Somos más grandes —dijo Hank—. ¡Somos el equipo más extraño del universo! O tal vez del sistema solar.

Nuestra piña se rompió y los seis salimos de nuestro refugio entre los árboles para cruzar la calle en dirección al teatro. El edificio con la fachada rosa y blanca descolorida podría haber sido un palacio. Una escalinata grande de piedra subía desde la calle hasta la entrada. Filas de columnas y arcos de piedra parecían sacados de un castillo, y aunque no podíamos verlo desde donde estábamos, leí que la cúpula del tejado era también extraordinaria, cubierta por treinta y seis mil mosaicos de colores distribuidos para representar la bandera de Brasil.

—¡Vaya! —exclamó Matt.

—Pues sí —añadió Hank.

La representación de ópera ya había comenzado, pero el primer acto acabaría en pocos minutos. El entreacto duraría una media hora antes del comienzo del segundo acto. Alicia nos dijo que muchos asistentes a la ópera salían fuera del teatro durante el intermedio, bien para fumar o para comprobar el resultado del partido que se jugara aquella tarde. En ese momento nos colaríamos en el teatro.

—¿Cómo lo sabes?

—A veces me cuelo —admitió Alicia.

Hank y yo nos acercamos a la entrada principal con Alicia siguiéndonos unos pasos por detrás. Las puertas del gran teatro se abrieron y varias docenas de asistentes a la representación salieron deprisa cogiendo sus cigarrillos, cigarros y móviles. Nos quedamos detrás de una de las columnas de mármol de nueve metros esperando a que el público se dispersara. El olor del humo era asqueroso, pero intenté no toser. Siendo un chico de Secundaria vestido de esmoquin ya llamaba suficientemente la atención.

Detrás de nosotros, veía a Alicia estudiando a la gente del público.

—¿Qué buscas? —le pregunté.

Un hombre de cabello gris rizado gritó mientras hablaba por teléfono. Cuando se dio la vuelta, vi que también llevaba esmoquin. Otro hombre llevó la cabeza hacia atrás y gritó mirando al cielo.

—Estoy buscando dos personas que sean aficionadas al fútbol, y esos dos parecen perfectos.

Alicia fue directamente hacia ellos. Al principio no levantaron la vista de sus teléfonos móviles, pero Alicia les dio una pequeña tarjeta. Los dos sonrieron como niños pequeños. Alicia levantó dos dedos y los hombres se llevaron la mano al bolsillo de las chaquetas y sacaron una entrada cada uno. Ella las cogió, les dio las gracias con un gesto y señaló hacia la calle. Los dos hombres fueron deprisa y nuestra inteligente amiga retrocedió con las dos entradas para la ópera.

—¿Qué ha pasado? —le pregunté.

—Esta noche hay un partido muy importante. A ningún aficionado de verdad le apetece estar en el Teatro de la Ópera. Les he dado dos fotos con el autógrafo de Pepedro y les he dicho hacia dónde deberían ir para ver el partido —entonces nos dio las entradas—. Aquí tenéis los pases.

En la entrada un acomodador me miró fijamente, pero nos dejó pasar. En el interior, una luz amarillenta brillaba desde los candelabros. Un balcón de piedra sostenido por grandes columnas hacía una gran curva por todo el recibidor.

El suelo era de mármol pulido y brillaba lo suficiente como para verme reflejado en él. Ava tenía razón, iba bien peinado.

—Basta de distracciones, Jack —dijo Hank tirándome de la manga del esmoquin.

Atravesamos el recibidor y señaló hacia las pinturas de unos dioses y unos ángeles que se extendían por el techo.

—Para pintar el mural, trajeron a un artista desde Europa —después miró hacia la gente—. No veo a doña Maria.

Hank había descargado el programa de rastreo en su teléfono y me lo había dado para que lo siguiera. Lo saqué del bolsillo y abrí la aplicación. Un acomodador se acercó a nosotros y nos dijo algo en portugués. Cuando se dio cuenta de que ninguno de los dos lo entendíamos, me hizo un gesto moviendo el dedo. Guardé el teléfono.

—Esperemos que siga aquí —dije a Hank.

El teatro tenía cuatro pisos. Un telón gigante pintado con el paisaje de un río ocultaba el escenario. El patio de butacas constaba de más de cien asientos y los demás estaban en los pequeños palcos que rodeaban la sala. Mientras Hank y yo caminábamos por el pasillo central, miré los asientos del patio de butacas y después los palcos del segundo piso. Un par de manos arrugadas agarraban la barandilla en un palco cerca del escenario. Entonces doña Maria se inclinó para observar al público. Joaquim, el chef y cocinero de Saudade, estaba sentado a su izquierda. Detrás de ellos, Joao estaba apoyado contra la pared con los brazos cruzados. El alcalde de Manaos se encontraba a la derecha de doña Maria, hablando con otros dos hombres.

Continué avanzando por el pasillo central. Nadie me paró. Puse mis manos sobre el escenario de madera y salté.

Nadie me lo impidió.

Después me di la vuelta y me encontré frente al público, cada vez más numeroso. Tenía la espalda junto al telón, mi corazón latía cada vez más rápido y era como si alguien estuviera agarrando fuerte mi pecho. Una luz parpadeó desde el palco más alto atrás del todo. Esperaba que eso significara que mis hermanos y Pepedro habían cumplido con el horario.

Hank se unió a mí en el escenario. Miré hacia doña Maria. Seguía inmóvil, aunque me estaba observando como un halcón a su presa. Tragué con dificultad.

—Señoras y caba… —mi voz se quebraba. Tosí y lo intenté de nuevo—. Señoras y caballeros —grité. Las conversaciones se interrumpieron y el público se fijó en el escenario—. Antes de que comience el segundo acto, tengo un anuncio importante que hacer. Tenemos entre el público a un criminal, un mentiroso y un ladrón.

Unas cuantas personas jadearon con la boca abierta.

—Ya te he dicho que no ibas a necesitar traductor —susurró Hank—. Continúa, lo estás haciendo muy bien.

Los asientos libres se fueron llenando. Tres acomodadores venían corriendo por el pasillo central. Levanté las manos y grité:

—¡Esperen!

En el palco de doña Maria, Joaquim se echó hacia delante y gritó algo en portugués. Los acomodadores se pararon. Levantó la mano y me señaló mientras hablaba. Unas cuantas personas de entre el público me miraban y asentían con aprobación. Hice una pausa.

Joaquim puso sus manos alrededor de la boca y exclamó:

—Les he dicho que escucharan. ¡Adelante! ¡Habla!

Y eso hice. Mi voz se quebró unas cuantas veces más, incluso tartamudeé un poco, supongo que tenía que haber ensayado el discurso o haber escrito un par de cosas. Pero me las apañé para soltar todo lo que habíamos descubierto acerca de doña Maria, y lo que estaba haciendo a la valiosa selva amazónica. Hubo un momento en el que un hombre de la primera fila del patio de butacas levantó la mano. Fue algo inesperado, así que le dejé hablar.

—¿Es esto parte de la ópera?

—No. Esto es real. Super Andar está talando de forma ilegal una gran parte de la selva. Y la mujer que lo dirige todo está sentada allí mismo.

Entonces la señalé y el alcalde se apartó. Finalmente, doña Maria se puso en pie:

—¡No tenéis ninguna prueba! —gritó—. Es todo mentira. Mentira, mentira. Por favor, que se lleven a esos locos del escenario para que podamos continuar con la ópera.

—¡Oh, sí que tenemos pruebas! —exclamó Hank.

Los dos nos movimos hacia el fondo del escenario para que mis hermanos y los brasileños encendieran el proyector desde el fondo de la sala, cubriendo el telón con luces de colores.

Fueron pasando por detrás de nosotros las fotos que *Cheryl* había tomado y Hank comenzó a contar:

—Esta era la Amazonia hace dos días —dijo Hank señalando un sector de la selva—. Y este —dijo cuando apareció la imagen siguiente— es el aspecto actual, después de que Super Andar hiciera su trabajo.

Mucha gente del público gritó, y otros abuchearon hacia el palco de doña Maria. El alcalde se iba retirando del lado de aquella mujer, y parecía que Joaquim la estaba bombardeando con preguntas. Pero doña Maria solo nos miraba a nosotros. Hank acabó de hablar, y aunque no había preparado mi discurso, sabía perfectamente cómo lo iba a terminar. Saqué de mi bolsillo un cuadernito y estudié por última vez su nombre antes de mirarla detenidamente y anunciar:

—Doña Maria Aparecida Oliveiros Dos Santos. Es culpable de diversos crímenes contra la selva amazónica y de un vulgar robo. Le pido que usted y los madereros no regresen jamás a la selva y nos devuelva lo que es nuestro.

Todo el teatro quedó en silencio.

Desde la pared, Joao se iba deslizando hacia la puerta del palco. Joaquim se llevó la mano al pecho y comenzó a aplaudir. Deseé que el aplauso se extendiera por todo el teatro, como ocurre en las películas. No sé cómo nos habría ayudado eso a recuperar la memoria USB, pero me gustaba la idea de estar en el escenario, vestido con un esmoquin y con setecientas personas elegantes vitoreándome.

Por desgracia, doña Maria me fastidió mi momento. Defendiéndose ante otro de sus invitados, doña Maria me señaló y se llevó las manos al pecho. Era obvio que le imploraba para que la creyera, y no parecía funcionarle. Se trasladó hasta el borde de la barandilla, levantó su bastón y gritó: «¡Mentiroso! *Intrujão!*».

Uno de los acomodadores vino corriendo hasta el borde del escenario.

—Le está llamando a usted «mentiroso y ladrón».

Esperaba que ella me volvería a gritar, dijera que las imágenes eran falsas e incluso pedir mi arresto. Pero, en lugar de eso, Joao sujetó la puerta mientras la anciana se daba la vuelta, se agachaba y salía disparada del palco con sus zapatos propulsados.

Eso no era parte de nuestro plan. Se supone que iba a confesar, incluso a llorar.

—¿Y ahora qué hacemos? —pregunté.

—Pues supongo que perseguirla —contestó Hank.

Los dos saltamos hasta el suelo enmoquetado y corrimos por el pasillo central mientras los acomodadores nos dejaban pasar. Llegamos al recibidor justo cuando ella había comenzado a bajar por la gran escalera de mármol. Joao estaba a su lado.

Hank y yo bloqueamos la salida más cercana, mientras Matt, Ava, Alicia y Pepedro bajaban corriendo por la escalera opuesta. De un palco del segundo piso, aparecieron Joaquim y el alcalde y se asomaron por la barandilla.

—Devuélvanos nuestra memoria USB —dije.

Desde la balconada, Joaquim gritó:

—¡Devuélvale los inventos!

El alcalde le aplaudió. Parte del curioso público comenzaba a llenar el vestíbulo del teatro. Señalando con su bastón hacia el balcón, doña Maria dijo:

—¿Los apoyáis a ellos? ¿Apoyáis a los americanos?

—Apoyamos lo que es justo —dijo el alcalde—. Nadie que tala nuestros valiosos árboles merece llamarse brasileño.

El público aplaudió.

Mis hermanos y los demás estaban ya a nuestro lado. Joao me miró con el ceño fruncido y yo me protegí detrás de Matt.

—Denos el USB —dijo Ava.

Una señora con un vestido de lentejuelas añadió:

—Devuélvale lo que es suyo.

Doña Maria avanzó fuera de los escalones.

—Tantas molestias para un artilugio tan pequeño —dijo sacando de su bolso la llave de memoria. Giró el dispositivo entre sus dedos—. Fascinante este aparato tecnológico. Joao y yo estábamos impresionados. Imposible de copiar. Y habéis llegado hasta aquí, así que supongo que podéis seguirle el rastro para localizarlo, ¿no?

—Casi al milímetro —dijo Hank.

Cuarenta o cincuenta personas del público se habían trasladado ahora hasta el recibidor, y una docena o más estaba apostada en el balcón.

La anciana miró de nuevo el dispositivo y preguntó:

—¿Cómo habéis conseguido las fotos si controlamos nosotros el satélite?

—Tenemos otro satélite —respondió Ava.

Doña María se dirigió a Hank.

—¿Tiene otro satélite?

—No —dije yo—. El segundo satélite es suyo.

Joao juntó las manos suplicando:

—Doña Maria, yo no lo sabía...

—¡Silencio! Se suponía que eras inteligente y, sin embargo, unos niños te han superado. Estoy muy decepcionada, Joao. Y por lo que respecta a vosotros... bien, muy listos. Me han dicho que los diseños guardados en esta cajita pueden valer cientos de millones de dólares, quizá más.

—Pero no son ideas suyas —le recordé.

—Sí que lo son —respondió doña Maria—. Ahora me pertenecen, y me voy a llevar este USB —miró entonces con desdén al alcalde y a Joaquim— a algún sitio donde se valoren mis talentos. ¡Vámonos de aquí, Joao!

Su ayudante con el pelo teñido avanzó hasta nosotros y se paró. Él era muy delgado, pero yo me quedé sorprendido, ya que desde un punto de vista físico no damos mucho miedo. Entonces oímos un ruido detrás de nosotros.

Cuatro personas del público bloquearon las puertas.

Joao gritó algo en portugués y fue corriendo hasta otra salida en el lado opuesto. Mientras doña Maria se agachaba, él salió en tromba por la puerta y escapó. La anciana fue detrás de él y luego redujo la velocidad. Antes de llegar a la puerta de vaivén, se tambaleó. Los cuatro hombres fueron corriendo a bloquear todas las salidas. Embargada por el pánico, la anciana dio un golpe con el bastón en el suelo de mármol. Golpeó los tacones de sus botas eléctricas tres veces y se agachó de nuevo, preparada para deslizarse a toda velocidad. Pero doña Maria no iba a ninguna parte. Enfadada, refunfuñaba en portugués.

Alicia y Pepedro comenzaron a reír.

—¿Qué pasa? ¿Qué hay de divertido? —pregunté.

—Dice que se le ha agotado la batería de sus botas —comentó Pepedro.

—El dispositivo —insistió Ava tendiendo su mano.

Doña Maria hurgó de mala gana en su bolso, sacó el USB y lo lanzó sobre la cabeza de Hank. El inventor no fue lo suficientemente rápido como para cogerlo, pero mi hermano se lanzó a por él y lo cogió al vuelo antes de que la memoria cayera sobre el duro suelo.

—¿Cómo lo has atrapado? —le pregunté—. Ni siquiera eres capaz de atrapar una pelota de baloncesto.

Matt parpadeó.

—A mí no me importan las pelotas de baloncesto —dijo golpeando la memoria—. Lo que me importa son las ideas.

Doña Maria siguió protestando en su idioma.

—Está diciendo que se debería haber retirado a una isla —dijo Ava—. Flo… nosequé.

—¿Florida? —pregunté yo.

—No. Florianópolis —explicó Pepedro—. Es un sitio muy bonito. Como el Hawái de Brasil.

El público de la ópera aplaudió y yo hice una reverencia.

—¿Tenemos que hacer una reverencia? —preguntó Matt.

Pepedro hizo como yo, y también Hank. Al final mis hermanos también se inclinaron. Paramos de hacerlas cuando Joaquim y el alcalde llegaron a nuestro lado.

—¿Qué es lo que queréis? ¿Vais a arrestarme por cortar unos cuantos árboles?

—Hoy no —contestó el alcalde—. No sé cuándo sucederá, pero todo el mundo sabrá lo que ha hecho. Será castigada por todos sus crímenes contra la Amazonia.

La anciana no pudo responder. Nos dio la espalda y se fue tambaleando hasta la salida con sus botas desprovistas de toda potencia. Y sí, ya sé que ver a una mujer de negocios encorvada y deshonesta retirarse con sus botas eléctricas no tendría que ser un momento triste. Era una persona despreciable. Una timadora y una mentirosa. Y, a pesar de todo, una parte de mí se sintió mal cuando doña Maria se fue sola.

Alicia me puso una mano en el hombro.

—No derrames ni una lágrima. Quizá ahora tenga problemas, pero sigue siendo muy rica.

Mi compasión se esfumó.

Mientras el público regresaba al teatro, dimos las gracias a Joaquim y al alcalde por habernos escuchado. Después Hank habló en privado con Alicia y Pepedro, antes de dar golpecitos a su reloj señalando que íbamos a llegar tarde a una cita.

—¿Una cita? —preguntó Matt—. ¿Qué quieres decir?

—No iremos a ir al dentista o algo parecido, ¿no? —comenté bromeando.

—Hay mucha gente que hace eso —señaló Ava—. Se llama turismo dental.

—¿Cómo? ¿De verdad que vamos a ir al dentista?

Hank se rio, pero no explicó a qué cita se refería. Fuimos deprisa por la avenida. Una limusina aparcada en una esquina estaba esperando.

Con los brazos cruzados y moviendo la cabeza, Ava se paró al final de la escalinata.

—No vamos a coger otra limusina, ni hablar.

—Esta tiene mejor pinta —señaló Pepedro.

El conductor salió dando la vuelta por delante del coche y nos abrió las puertas. Mientras Hank convencía a mis hermanos de que no corríamos peligro, me metí de un salto y busqué la neverita. Pepedro y Alicia también se metieron en el coche. Unas latas heladas de guaraná nos estaban esperando. Los asientos eran de cuero y tan cómodos como un sofá. Me eché hacia atrás, di un sorbo al refresco y decidí que me quedaría dentro de la limusina el resto de nuestro viaje por Brasil. Los demás podrían visitar las ciudades, los museos e ir a restaurantes. Yo me quedaría disfrutando del lujo del aire acondicionado, pidiendo comida y bebiendo refrescos.

Matt entró y después lo hizo Ava. Recostándome sobre el mullido cuero, comencé a pensar cómo podría redecorar mi habitación para que pareciera una limusina cuando Hank asomó su cabeza por la ventanilla de separación.

—Jack, ¿te importa venir conmigo a la parte delantera? Me gustaría hablar contigo de una cosa.

Mis hermanos y los brasileños me miraron. Ese no parecía el mejor momento para separarme de ellos, aunque fuera para sentarme en el asiento delantero. Pero Matt me dijo que fuera y Ava se mostró de acuerdo. Sentarme entre Hank y el conductor fue muy raro, aunque el coche fuera enorme, pero me sobrepuse y hablé con Hank de un montón de cosas: del curso escolar que comenzaría pronto, de los problemas de dinero, e incluso de chicas.

Hank dijo que podría tener la solución a nuestros problemas económicos.

—¿De verdad? —respondí.

—Sí, pero tengo que confesar algo, Jack.

La carretera nos dirigía hacia el campo y bajamos una colina hasta lo que parecía un aeródromo.

—¿Una confesión? ¿Qué has hecho?

—La idea de la batería… realmente no funcionaba.

—¿Qué quieres decir?

—La batería en la que estaba trabajando basándome en tu idea de las anguilas. Sí, bueno, está bien. Pero no es mucho mejor que las baterías que están en el mercado.

Mi ánimo se hundió.

—¿Y, entonces, por qué tanta molestia en recuperar el dispositivo USB?

—Bueno, es que también estaban ahí los códigos para controlar el satélite —dijo Hank—. Los otros diseños también valen algo. La pistola de descarga eléctrica, por ejemplo. Y no digo que la batería inspirada en las anguilas esté mal, no, no. Creo que se puede aprender de cómo esas anguilas gigantes almacenan energía, y podría tener muchas aplicaciones.

—¿Pero…?

—Pero había otra cosa —Hank cogió su riñonera y sacó el Quitaolores—. Esto también fue idea tuya, ¿no?

Normalmente recuerdo todas mis elucubraciones.

—No sé, a lo mejor…

—Claro que sí. Un día estuviste trasteando con el aspirador nasal, y dijiste algo sobre lo genial que sería tener uno para las… emisiones gaseosas.

Yo me reí entre dientes. Hank odiaba la palabra que yo habría utilizado. ¿Pero había sido realmente idea mía? Rebusqué en mi cerebro, y aunque aquello formaba parte de mi imaginación, pedí ayuda al músico que tocaba la armónica. El recuerdo de ese momento vino de repente.

—Espera. Habíamos estado comiendo burritos, ¿verdad? Y me estaba aguantando un tremendo…

—Sí, justo, justo —dijo Hank cortándome antes de que yo pronunciara la palabra—. Bueno, pues un amigo mío está muy interesado en este artilugio. Alguien que tú conoces.

La limusina aminoró la velocidad mientras atravesábamos una valla abierta. Un pequeño aeródromo se extendía frente a nosotros. En la pista de aterrizaje se encontraba un precioso *jet* privado. Precioso y que yo conocía. Una escalerilla bajaba desde la puerta, y un hombre en una silla con cojines avanzaba hacia nosotros.

—Esto... Hank, ¿quién es ese señor? —pregunté.

La ventanilla de plexiglás se abrió detrás de mí y todos miraron por ella.

—Jack, ese es el señor J. F. Clutterbuck. El multimillonario inventor de los calcetines sin olor.

—¿Y por qué viene sentado en una silla autodirigible? —preguntó Ava.

—Es que es muy vago. Como sabes, Jack, el señor Clutterbuck se interesa por el negocio de los olores —la limusina se paró—. Jack me inspiró para hacer el Quitaolores, y nuestro amigo está interesado en comprar la idea.

Alicia dio un manotazo sobre mi asiento.

—¡Diez millones de dólares! —exclamó—. Jack no lo venderá por menos.

Yo sonreí. Con un par de millones me conformaba.

19

FUERA DEL CONTENEDOR DE BASURA

PUES SÍ, EL OBJETIVO DE ALICIA ERA DEMASIADO ambicioso. Y el mío también. Clutterbuck no había ido hasta allí para darme un cheque por tanto dinero. Por lo menos, Alicia practicó sus habilidades negociadoras con el multimillonario y Clutterbuck estuvo de acuerdo en pagarnos a Hank y a mí una suma de dinero decente por los derechos del Quitaolores. Lo bastante como para pagar nuestras facturas y todo un año de alquiler. Y Clutterbuck nos dijo que, si sus ingenieros perfeccionaban el artilugio y empezaba a venderlo, compartiría los beneficios.

Esa era la buena noticia. La mala fue que no nos llevó de vuelta en su avión privado. Él estaba de vacaciones, de camino a Florianópolis, la isla que doña Maria había mencionado. Iba volando hacia el sur cuando recibió el *email* de Hank desde el barco, así que hizo escala en Manaos para repostar.

Después de la negociación, le pregunté si podíamos unirnos a él en sus vacaciones en la isla.

Por desgracia, empezó a reírse.

Durante unos cuantos días nos estuvimos recuperando en el hotel, que, gracias a Hank, era mucho mejor que el anterior. Y conocimos la ciudad de la mano de Pepedro y Alicia. Durante casi todo el tiempo, Pepedro llevaba puesto un sombrero bien calado en la cabeza para que la gente no le parara continuamente y le pidiera *selfies.* También tuvimos otra visita inesperada. Al día siguiente de nuestra llegada a Manaos, bajábamos renqueando a desayunar cuando Min apareció por la puerta del hotel. Hank se quedó paralizado. No sabíamos si eran algo más que amigos, y seguramente querrían un momento de privacidad, pero de todas maneras no se lo permitimos. Dejé atrás a mis hermanos, fui corriendo hasta ella y abracé a Min con fuerza. Al principio se quedó rígida como una estatua. Ninguno de nosotros somos muy de abrazos. O, por lo menos, no de esa manera. Segundos después, Min se relajó y me abrazó también, envolviendo a mis hermanos igualmente en un rápido abrazo antes de que Hank reaccionara y comenzara a dar explicaciones. Los dejamos en el vestíbulo y nos fuimos hacia el restaurante a desayunar. Los días siguientes batí mi récord de panecillos de queso y me mudé de calcetines cuatro veces al día, y solo porque podía hacerlo. Cuando llegó la hora de salir de Brasil, Alicia y Pepedro no quisieron ir a despedirnos, pues preferían emocionarse demasiado. Además, Hank había prometido que les compraría unos billetes de avión para que nos visitaran en Nueva York durante las vacaciones. Verdad o no, prometimos que pronto nos volveríamos a ver.

Una vez de vuelta a Nueva York, quise ir directamente a nuestro apartamento, encerrarme en mi habitación y jugar a los videojuegos durante una semana. Pero los demás insistieron en ir desde el aeropuerto hasta el laboratorio. Hank y Min nos acompañaron. Hank estaba ansioso por regresar a su querido cuartel general, aunque Min le había asegurado que había contratado a una buena empresa de limpieza. No solo eso. También había llegado a un acuerdo con Bobby para que pagara la cuenta. Este costeó la limpieza y depositó una cantidad de dinero en una especie de cuenta fiduciaria para pagar nuestros estudios. A cambio, Hank no presentaría cargos contra él.

Un coche nos dejó al final de la manzana, y seguimos a Hank hasta el contenedor. Iba a presionar el botón cuando la tapadera se abrió, apareciendo un hombre y una mujer.

Casi salimos corriendo los cinco hasta el otro lado de la calle.

El hombre tenía barba y los ojos muy grandes y redondos. Un par de plumas estilográficas sobresalían de un bolsillo de su camisa hawaiana. La mujer tenía la tez pálida, llevaba gafas estrechas y en su pelo rubio se le veían las raíces morenas.

Llevaba pegado un periódico viejo en la espalda de su camisa. Se lo quitó de encima y extendió su mano.

—Hola, Hank —saludó ella—, no sé si me recuerda. Soy Elise Crowell, de la Oficina Tecnológica de la NASA. Nos hemos visto con anterioridad. Este es mi compañero Marvin Miller.

Hank fue hasta el contenedor y les dio la mano.

—Hola… —respondió, aunque parecía más una pregunta que un saludo—. ¿Los puedo ayudar en algo?

El hombre me miraba con una sonrisa. Sus ojos me resultaban familiares, y su barba también.

—¡El avión! —exclamé.

—¿De qué hablas, Jack? —preguntó Ava.

Empecé a señalar a aquel hombre, pero Hank me dio un manotazo para que bajara la mano. Dice que señalar es de mala educación.

—Usted estaba en el avión que iba a Manaos, ¿verdad? ¡Usted me dio los tapones para los oídos!

Miller asintió.

—¿Te sirvieron?

—Perfectamente —contesté. Entonces recordé nuestra conversación—. Usted hablaba con acento… pensé que era brasileño.

—No, solo soy bueno imitando acentos. ¿Quieres escuchar mi acento irlandés?

—No, gracias. Ya hemos tenido suficiente con los acentos falsos —respondió Ava.

—Hank, usted es un hombre difícil de localizar —dijo Crowell saliendo del contenedor de basura. Matt se acercó a ayudarla, pero le rechazó con la mano—. Y a vosotros, chicos, no hay quién os atrape.

Ava inclinó la cabeza hacia un lado.

—¿Nos estaban siguiendo?

Entorné los ojos mirando a la mujer. La mañana en la que destrozaron el laboratorio me parecía muy lejana. Pero entonces me vino su imagen a la cabeza. Aquella mañana los dos estaban al otro lado de la calle cuando salimos corriendo del laboratorio persiguiendo a Bobby. Estaban comiendo unos polos. ¿Durante cuánto tiempo nos habían estado observando?

Miller salió del contenedor y, al observar una mancha en sus pantalones de color caqui, se contrajo de hombros.

—Os estuvimos siguiendo por Brasil el primer día, pero os perdimos en la ciudad.

Ni Matt ni Ava hablaron. Hank se interpuso entre esa extraña pareja y nosotros. No parecían peligrosos, solo un poco raros; así que no me importó que Hank actuara de forma protectora.

—¿La Oficina Tecnológica de la NASA? Creo que no la conozco —dijo.

—Nuestras siglas son NOT —dijo Crowell.

—Y nuestra existencia es bastante secreta —respondió Miller.

—Si son secretos, entonces las siglas deberían ser SNOT —añadí yo.

E intenté no reírme. Los genios tardaron unos segundos en comprender la broma, Miller y Crowell un poco más.

—No, no somos SNOT —Miller me corrigió.

—Me gustaría que me explicaran qué hacían en mi contenedor —dijo Hank.

Miller miró a Crowell antes de contestar.

—Necesitamos su ayuda. La NASA necesita su ayuda.

—¿Para qué? —preguntó Ava.

—No se lo podemos explicar aquí —contestó Crowell—. Es una información muy sensible, pero nos estábamos preguntando si querría participar en una especie de misión secreta.

—¿Una misión? ¿Dónde? —preguntó Matt.

—Tiene que descansar —insistió Min.

—A menos que sea algo realmente importante —añadió Ava.

—¿Podemos volver a Hawái? —pregunté yo.

—No podemos decir el lugar exacto —respondió Miller—. Aunque no es por aquí cerca.

—Lo siento —dijo Hank—. Pero los chicos y yo hemos planeado no separarnos durante un tiempo. Si me voy de viaje, ellos tendrán que venir conmigo —entonces miró a Min—. Y mi amiga también.

Miller asintió.

—Me parece estupendo. También necesitamos a los jóvenes. Es una misión bastante inusual. Necesitamos a un grupo de personas muy inteligentes que parezcan una familia.

—Eso no es problema —dijo Hank.

—¿No? ¿Por qué no?

Hank nos miró a cada uno de nosotros.

—Porque somos una familia.

Entonces se acercó hasta el contenedor, dio al botón para activarlo e invitó a los científicos a bajar al laboratorio para que nos informaran mejor del tema. Dejé que los demás entraran primero. Min comenzó a hacer preguntas a Crowell. Matt y Ava empezaron a elucubrar sobre el tipo de misión. Ava no estaba del todo segura de querer moverse de casa. Y yo supuse que a Matt le pasaba igual. Sus clases en la universidad empezarían pronto y seguramente querría pasar las próximas semanas preparándolas. Pero, en realidad, parecía muy emocionado por formar parte de otra aventura. ¿Y yo? Bien, yo estaba cansado. Realmente agotado. Me dolía todo el cuerpo y mis pies estaban destrozados. Las ronchas de mi cuerpo no habían desaparecido del todo. Mi estómago necesitaba recuperarse durante un par de semanas de todos los panecillos de queso. Pero, mientras bajábamos al laboratorio, me di cuenta de que estaba sonriendo. No me importaba el lugar al que nos llevaría la próxima aventura y lo que ello implicaría. Éramos una familia. Una mezcla extraña de individuos, pero al fin y al cabo una familia.

Seguiría a los genios a cualquier sitio.

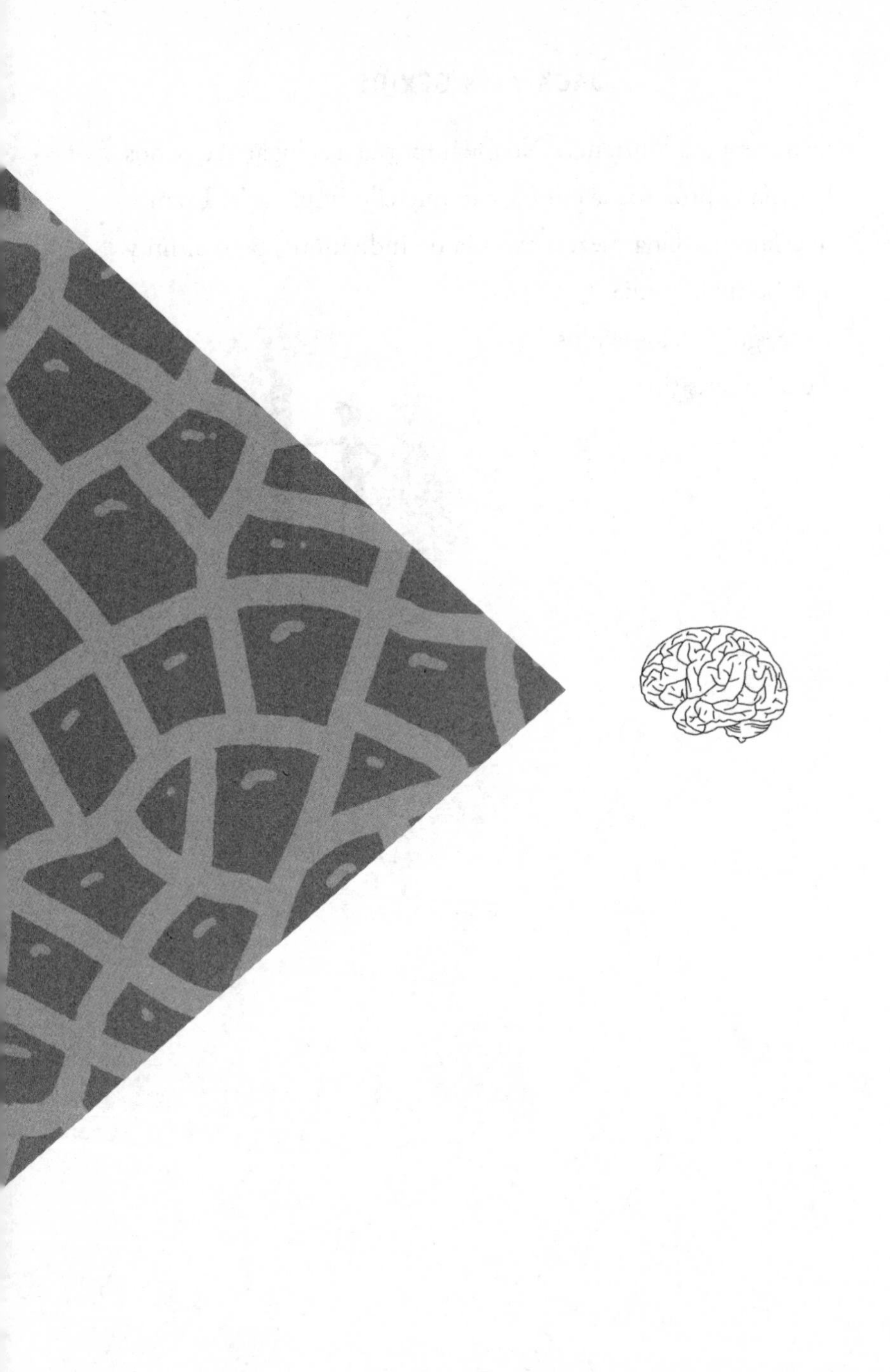

DOCE CUESTIONES IMPRESCINDIBLES SOBRE *PERDIDOS EN LA SELVA*

LA ANTÁRTIDA, EL LUGAR DONDE TRANSCURRE el primer libro, *Jack y los genios: en el fin del mundo,* es un lugar fascinante. Las profundidades del océano también lo son, y es una de las razones por las que enviamos a nuestros personajes a Hawái en *Jack y los genios: en el profundo mar azul.* El escenario de *Perdidos en la selva,* la Amazonia, se encuentra al mismo nivel en cuanto a considerarse uno de los lugares más espectaculares y fascinantes, desde el punto de vista científico, que hay en nuestro planeta. Alberga el veinticinco por ciento de las especies que existen en el mundo y es el lugar donde se realiza el quince por ciento de todas las fotosíntesis de la superficie terrestre. Los hechos que cuentan Jack y el resto de los jóvenes protagonistas sobre la selva y sus criaturas son reales. Esto es ciencia, y seguro que todavía tienes preguntas sobre la selva amazónica, la tecnología tan increíble que utilizan los genios y los hábitos tan poco comunes de los osos perezosos.

DOCE CUESTIONES IMPRESCINDIBLES SOBRE *PERDIDOS EN LA SELVA*

Así que aquí encontrarás varias preguntas y respuestas sobre Jack y los genios y su fascinante aventura por la selva.

1. ¿SON REALES LOS *CUBESATS*? Por supuesto. Son satélites tan pequeños que cabrían entre tus manos. Pueden hacer fotografías, recibir y transmitir señales de radio y llevar a cabo experimentos. En 2015, mientras era director de la Sociedad Planetaria, Bill ayudó a lanzar una versión un poco mayor que el CubeSat, el LightSail 1, y el mismo grupo está pensando enviar un segundo modelo al espacio. Ambos modelos de satélites LightSail están diseñados para desplegar velas solares.

2. ¿QUÉ ES UNA VELA SOLAR? ¿No lo sabes? ¡Únete a la Sociedad Planetaria! Mientras tanto, te lo explicaremos. En lugar de que las moléculas de aire empujen una vela para impulsar un barco mientras navega por el mar, una nave espacial con velas solares se impulsa a través del espacio mediante la luz del sol. La luz está formada por partículas de energía llamadas *fotones.* Aunque no tienen masa ni peso, poseen potencia. Cuando rebotan en las velas, cada fotón da un pequeño impulso a la nave espacial. A diferencia de un cohete, la vela solar nunca se queda sin combustible. Puede que algún día las velas solares muevan naves espaciales por el sistema solar.

3. A PROPÓSITO DE LOS *CUBESATS*. ¿HAY NIÑOS CAPACES DE CONSTRUIRLOS? ¡Sí! Estudiantes del colegio de Primaria St. Thomas More de Arlington, en Virginia, Estados Unidos, trabajaron en equipo para diseñar, construir e incluso lanzar su propio CubeSat, con algo de ayuda de la NASA, no la parte secreta de la agencia. Claro que había más niños implicados en el proyecto y les llevó más tiempo que a Ava y a Matt, pero son el ejemplo de que eso es posible. Su satélite, el STMSat-1, fue puesto en órbita el 16 de mayo de 2016. Al igual que *Cheryl,* el STMSat-1 hace fotografías del planeta y las manda a la Tierra.

4. ¿ESTÁ LA SELVA AMAZÓNICA REALMENTE EN PELIGRO? El Instituto Nacional de Investigaciones Espaciales de Brasil (INPE) utiliza imágenes de satélites para rastrear la deforestación o la pérdida de territorio arbolado a causa de empresas madereras, de minería y de otras acciones del ser humano e incluso de la naturaleza. A finales de julio de 2016, se contabilizó que, en todo ese año, la selva amazónica había perdido de bosque una extensión equivalente a la de tres veces el estado de Rhode Island, así que sí, hay un problema.

Los bosques del planeta están desapareciendo, y la tala provocada por la industria maderera no es la única causa. La minería que busca nuevos recursos, la construcción de carreteras, la adaptación a tierras de labranza y la ganadería, además del cambio climático, están conspirando para mermar la parte boscosa de nuestro planeta.

5. ¿INTERVIENE ESTE HECHO EN EL CAMBIO CLIMÁTICO? Muchísimo. La emisión de gases de efecto invernadero llena el aire de dióxido de carbono, atrapando el calor cerca de la superficie terrestre y recalentando el planeta. La deforestación ayuda a las emisiones de efecto invernadero, más que la gasolina de los coches y camiones. Aunque no podamos hacer que la cantidad de bosques disminuya por causas naturales, podríamos ayudar a intentar evitar la innecesaria destrucción de bosques prestando ayuda a organizaciones que luchan contra la deforestación.

6. ¿UTILIZAN LOS CIENTÍFICOS LOS SATÉLITES PARA CONTROLAR LA SELVA, IGUAL QUE HACEN JACK Y LOS GENIOS EN ESTA HISTORIA? Además de agencias gubernamentales como el INPE, los científicos y muchos ciudadanos están centrando sus esfuerzos en este problema. Planet, una empresa que opera con una flota de más de cien satélites en miniatura, intenta tener suficientes de estos exploradores espaciales para tomar fotografías de nuestro planeta por lo menos una vez al día. Entre otras cosas, estas imágenes podrían ayudar a los Gobiernos y a distintas organizaciones a descubrir la tala ilegal y las operaciones de deforestación de la selva amazónica. Esta empresa genera más fotografías que nadie, así que Planet anima a los desarrolladores de *software* a crear programas que encuentren de forma automática cambios en el paisaje. Es lo que probablemente harían Ava y Matt.

7. JACK UTILIZA *CHERYL* PARA NAVEGAR POR PÁGINAS WEB. ¿PUEDE UN *CUBESAT* DAR ACCESO A INTERNET? Soy Bill Nye, y me gustaría que todas las personas del mundo tuvieran acceso a tres cosas: agua limpia, recursos eléctricos limpios de energía renovable y acceso a información de manera ilimitada y sin censuras. Esto último es lo que conocemos por Internet; pero la mitad de este mundo carece de un acceso fiable y de alta velocidad a la web. El acceso mundial a la información es esencial. Da igual en qué lugar del planeta nos encontremos, deberíamos tener acceso, de la misma forma que hace Jack en esta historia. Afortunadamente, muchos grupos están trabajando en ello, y quieren que no nos tengamos que subir a los árboles para conseguirlo. Por ejemplo, una empresa llamada OneWeb quiere lanzar una flota de novecientos satélites para 2027 capaces de dar acceso a Internet a todo el planeta.

8. MUY BIEN. YA BASTA CON LOS SATÉLITES. EN LA NOVELA, EL TAXISTA INSISTE EN QUE UN BRASILEÑO LLAMADO ALBERTO SANTOS DUMONT FUE EL INVENTOR DE LA AVIACIÓN, Y NO ASÍ LOS HERMANOS WRIGHT. ¿QUIÉN ERA ESE SEÑOR? Santos Dumont, era el hijo de una familia de productores de café, y una importante figura de la aviación. Al principio, construyó y voló en globos aerostáticos y dirigibles. Estudió y vivió en París, y a menudo anclaba su dirigible en una farola al lado de su apartamento. Después iba volando con él por la ciudad como si fuera un taxi aéreo. Pero su primer vuelo registrado en un aparato como los aviones, más pesados que el aire, data de 1906, tres años más tarde que el vuelo de los hermanos Wright de 1903 y de sucesivos vuelos realizados antes de 1906. Eso es lo que creemos nosotros. Pero es mejor no discutirlo en Brasil.

9. ¿ES *BETSY* REAL? Para crear a *Betsy,* nos basamos en un artilugio que existe de verdad, el Atlas Powered Ascender (APA), que puede elevar a dos personas hasta una altura de tres pisos en solo treinta segundos. Este artilugio lo inventó un grupo de estudiantes del Massachusetts Institute of Technology, pero sería difícil para Ava llevarlo por la selva, ya que pesa casi diez kilos. Por cierto, no utiliza una ballesta instalada en la muñeca. Pero el caso es que Greg hizo una entrevista a un hombre que había construido algo así en su apartamento, y pensamos que sería divertido adaptarlo al invento de Ava.

10. ¿POR QUÉ LOS OSOS PEREZOSOS BAJAN AL SUELO UNA VEZ POR SEMANA PARA HACER SUS NECESIDADES? Ah, sí. Esta era la pregunta más importante. Durante años los científicos han estado asombrados por este asunto. Algunos dicen que eso ayuda a los árboles, otros que de esta forma los perezosos tienen más oportunidades de relacionarse. «Eh, chico, nos vemos en el suelo de la selva dentro de tres horas, ¿vale?».

Hace poco, un grupo de investigadores de animales mamíferos de la Universidad de Wisconsin-Madison estudió a catorce perezosos de dos dedos buscando una posible razón. Llegaron a la conclusión de que, cuando los perezosos bajan al suelo y sueltan su lastre, las polillas que viven en su pelo bajan a dejar sus huevos en las cacas. Normalmente, en ese momento, unos cuantos huevos en cacas que habían dejado antes eclosionaban y estas polillas recién nacidas volvían a acurrucarse en el pelo del perezoso. ¿Y en qué beneficia al *preguiça*? Los investigadores descubrieron que las polillas ayudan a que crezcan unas algas en el pelo del perezoso, y pueden ser una fuente de nutrientes para estas criaturas tan lentas. Así se aseguran un buen tentempié.

Por supuesto, los osos perezosos no son las únicas criaturas fascinantes que Jack y los genios se encuentran o los asustan en esta historia. El bufeo o *boto* del Amazonas, los murciélagos sin cola, las serpientes, las pirañas, los jaguares, los caimanes y multitud de insectos…, realmente deberíamos escribir otro libro para hablar de todos ellos. Te damos una idea: investiga por tu cuenta a ver lo que averiguas. Quién sabe… a lo mejor encuentras inspiración para viajar algún día a la selva y hallar nuevas especies.

11. UN MOMENTO: ¿LAS POLILLAS VIVEN EN EL PELO DEL PEREZOSO, NO SOLO LOS ESCARABAJOS? Pues sí. Y bacterias, hongos y otras criaturas. Aquello es una fiesta y nos alegra no estar invitados.

12. ¿ES LA ELECTROPHORUS ELECTRICUS MAGNUS UNA CRIATURA REAL? No, pero *Electrophorus electricus* es el nombre científico de la anguila eléctrica. Las anguilas eléctricas son unos habitantes muy reales del río Amazonas y de otras zonas. Y, en realidad, no son exactamente anguilas. Son una especie de morena. Hemos consultado a James Albert, biólogo de la Universidad de Louisiana en Lafayette y experto en anguilas eléctricas, y nos ha dicho que todas las criaturas vivas producen electricidad. Incluidos los humanos. Lo que hace que las anguilas eléctricas sean especiales es que controlan esa electricidad. Pueden emitir unos débiles campos magnéticos para encontrar a sus presas en aguas turbias, o dar una descarga eléctrica más fuerte a científicos curiosos. A finales de 2017, Ken Catania, neurobiólogo de la Universidad de Vanderbilt, describió un experimento en el cual una anguila eléctrica de algo menos de medio metro saltó en su tanque de agua y le dio una descarga en el brazo cuando este la iba a coger. La descarga que recibió no fue muy dolorosa, pero Catania calculó que una anguila grande podría ser capaz de dar una descarga más fuerte que la que suelta una pistola paralizante como las que utiliza la policía.

DOCE CUESTIONES IMPRESCINDIBLES SOBRE *PERDIDOS EN LA SELVA*

Recordad, chicos: no tengáis una anguila eléctrica como animal de compañía.

LAS PLANTAS DE LA SELVA, UN EXPERIMENTO DE BILL NYE

UNA CARACTERÍSTICA SORPRENDENTE DE la selva es que no solo hay una vegetación espesa. Cerca de las orillas de los ríos, se encuentran plantas enmarañadas entre sí y arbustos por los que Jack y sus amigos se tienen que abrir paso con ayuda del machete en su camino para hallar a Hank. Pero, en lo más profundo de la selva, bajo el dosel arbóreo, el suelo de la selva no tiene mucha vegetación.

¿Y por qué sucede esto? Me alegra que me lo preguntes. Todo tiene que ver con la luz. Las plantas necesitan la luz del sol para desarrollarse y ese dosel, que es una capa en la que se entrelazan las copas de los árboles, atrapa toda la luz del sol que da en esa zona, impidiendo que llegue hasta el suelo.

Aquí tienes un experimento que puedes hacer en casa para ver la diferencia.

MATERIALES

Semillas (a mí me encantan las semillas de calabaza, pero cualquier semilla sirve).

Tierra abonada para macetas.

Dos macetas pequeñas o tazas de cartón.

Una mesa.

Tres libros (los de la serie de *Jack y los genios* son los que mejor nos servirán).

Una bolsa de plástico reciclable.

PASOS

1. Planta las semillas en las dos macetas o tazas con la tierra abonada.

2. Lee los libros y déjalos metidos en la bolsa de plástico sobre la mesa.

3. Deja una de las tazas encima de los libros y bajo una lámpara. La pila de libros ayuda a que las semillas se acerquen a la luz.

4. Mide la distancia desde la taza hasta la lámpara, quince centímetros es una buena distancia.

5. Coloca la otra taza debajo de la mesa para que no esté bajo la luz de la lámpara.

6. Mide la distancia de esa última taza hasta la lámpara, un metro y medio es una buena distancia.

7. Mantén la tierra de las tazas o macetas húmeda, pero no empapada.

8. Observa el crecimiento de las plantas.

En una o dos semanas, deberías ver cómo la luz afecta a cada taza, y por qué en el techo arbóreo de la selva se desarrolla la vegetación, mientras que las plantas privadas de luz del suelo luchan por sobrevivir. Tras el experimento, haz que las plantas que estaban bajo la mesa reciban algo de luz. ¡Se lo merecen!

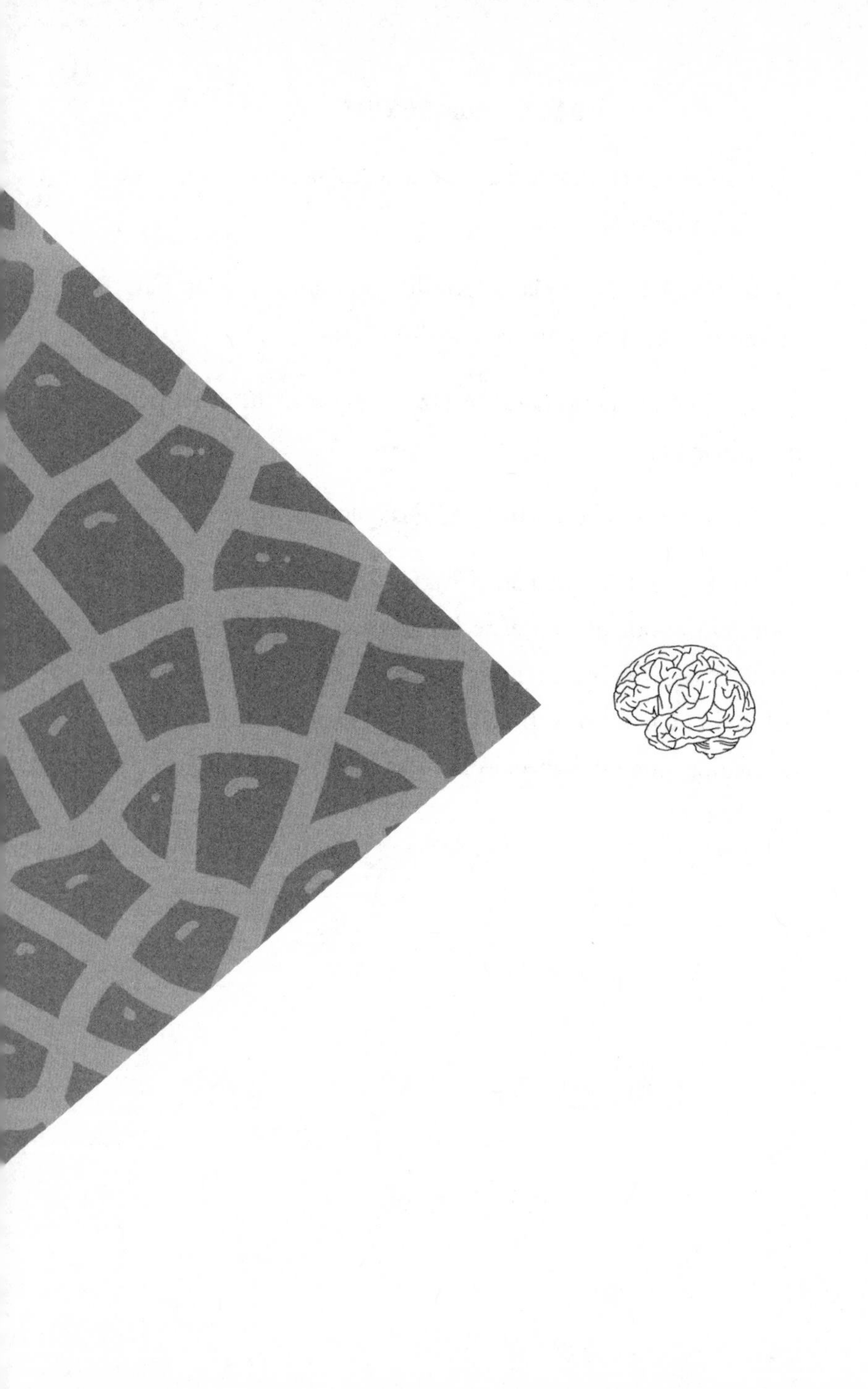

GREGORY MONE ES NOVELISTA, periodista científico y divulgador, además de haber publicado diversos libros para niños. Ha escrito sobre robótica, inteligencia artificial y sobre la amenaza de los asteroides. Vive con su familia en Martha's Vineyard, Massachusetts.

CONOCE A LOS AUTORES

BILL NYE ES CIENTÍFICO, INGENIERO MECÁNICO, director de la Sociedad Planetaria, presentador de televisión y autor de *best sellers* con una misión: intentar que la sociedad tenga una cultura científica y ayudar a la gente a comprender y a apreciar la ciencia que hace que el mundo funcione. Ha ganado un premio Emmy por su programa de televisión *Bill, El científico,* y por su nueva serie de Netflix *Bill Nye salva al mundo.* Además, ha aparecido como invitado en numerosos programas de televisión en Estados Unidos, ya que es un educador científico de prestigio.

Pasa su tiempo entre Nueva York y Los Ángeles, y lo podéis seguir en www.billnye.com